はじめての
絵画の歴史

―「見る」「描く」「撮る」のひみつ―

はじめての絵画の歴史

―「見る」「描く」「撮る」のひみつ―

デイヴィッド・ホックニー

マーティン・ゲイフォード

イラスト＝ローズ・ブレイク

青幻舎

【目次】

はじめに

ぼくたちの周りには、「絵」があふれている。ノートパソコン、携帯電話、雑誌、新聞、本（この本もその1冊だね）……。街の中やテレビで「絵」を目にすることもあるだろう。「絵」は美術館や博物館に飾られているし、きみの家の壁にもかかっているかもしれない。ぼくたちは、何かを考え、想像し、世の中をもっと理解しようとするとき、言葉と同じくらい「絵」を使うんだ。

この本は、ぼくと友人のマーティン・ゲイフォード（マーティンは作家で、芸術についての本を書いている）とのやりとりで進んでいく。話し手が2人いるわけだけど、会話の最初にちゃんと名前が書いてあるから、どっちがしゃべっているのかわからなくなる、なんてことはないはずだ。この本のイラストレーターであるローズ・ブレイクも、仲間に加わってくれている。ぼくたち3人のイラストを描いたのもローズなんだ。ローズのイラストには、ぼくのペットたちや、いろんな芸術家たちも登場するよ。

ぼくはデイヴィッド・ホックニー。芸術家で、いろんな「絵」を創作している。デッサンや水彩画、油絵を描いたり、写真を撮ったり、コンピューターやタブレット端末で作品を作ったりすることもあるよ。自分の作品を作るだけではなくて、ほかの芸術家の作品にもとても興味があるし、芸術について語りあうことも好きなんだ。

デイヴィッド

それとこの本には、よくある歴史の本に書いてあるようなこと（どんな出来事が、いつどんな順番で起こったか、とか）は書いていない。でも、118ページにちょっとした年表をまとめておいた。これを見れば、昔の芸術家たちがどんな道具を使っていたのか、新しい技術が発明されて、「絵」がどう変わっていったのかがわかるだろう。122ページの用語集は、知らない言葉が出てきたときに、意味を調べるのに使ってほしい。

　ぼくが好きな「絵」と、きみが好きな「絵」は、まったく違うかもしれない。もしきみが「絵」についての本を書くとしたら、ぼくが選んだものとは別の「絵」を選ぶはずだ。この本を読みながら（もちろん、誰^{だれ}かに読んでもらってもいい）、きみの目に映ったものを、ほかの人に話してみよう。ぼくたちはみんな、自分なりの見方で「絵」を見ている。いろんな見方ができるのが「絵」のすばらしいところだし、だからこそ、ぼくも「絵」を作り続けているんだ。

―デイヴィッド・ホックニー

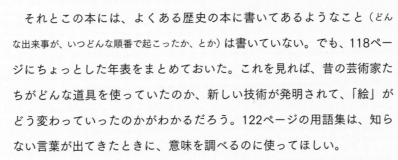

マーティン　　　　　　　ローズ

デイヴィッド 「絵」の歴史はとても古い。言葉よりも古いかもしれない。誰かが世界で初めて動物の絵を描いたとき、それを見ていた人もいただろう。その人は、次に本物の動物を目にしたとき、前よりもはっきりと見えたんじゃないかな。

「絵」を作るには、ものをよく見なきゃならない。今から1万7000年ほど前、フランス南西部のラスコー洞窟の壁に雄牛の絵を描いた人は、雄牛という生き物を注意深く観察していたに違いないよ。

雄牛の絵、ラスコー洞窟、フランス、紀元前15000年頃

パブロ・ピカソ、《フクロウ》、1952年

　どんな「絵」にも決まりごとがある。それは自分の視点で「絵」を描くために、**「絵」の作り手が定めたもの**なんだ。スペインの画家パブロ・ピカソは、1952年にフクロウの絵を描いている。ピカソはこの絵で、**自分の視点から見たフクロウを表現している**んだよ。

　ものの見方は人それぞれだ。たとえば、小さな四角い箱みたいなものが目の前にあったとしても、それが**何に見えるかは、見る人によって違う**はずだ。部屋に入ったときに見えるものも、そのときの気分、記憶、関心によって変わるだろう。

《ヌビア遠征中のラムセス2世》、
エジプト、紀元前13世紀

マーティン 「絵」を目にしたとき、わたしたちは2つの疑問が頭にうかぶのではないでしょうか。この「絵」はなぜ作られたのか？ どんな意味があるのか？ それとも、こう考えてみるべきかもしれません。**この「絵」の中に、何が見えるだろう？** 例えばエジプト絵画で、いちばん大きく描かれるのはファラオ（王）です。古代エジプトの王、ラムセス2世の壁画を見てみましょう。この壁画は、紀元前13世紀に、あるエジプトの神殿の壁に描かれたものです。実際にラムセス2世の身長を測ってみれば、ふつうの人と同じくらいだったと思いますが、当時のエジプト人の心の中では、**王はほかの人より大きな存在**だった。だから絵に描くときも、王を大きく描いたんでしょうね。

デイヴィッド　いつの時代も、芸術家たちは、**この世界を表現するための新しい方法**を探してきた。紙やカンヴァスみたいな平らなものの上に、立体を描こうとしたりね。そういう意味では、「絵」と地図は似たところがあるんじゃないかな。地図を作る人の頭を悩ませるのが、丸い物体、つまり**地球を平面の上で表現しないといけない**ってことだ。でもそれを完璧にやってのける方法なんてないんだよ！　だからどんな地図も、**それを作った人の興味や知識が反映される**ことになる。それは地図だけじゃなく、「絵」にも言えることだね。

ヤン・ファン・エイク
《アルノルフィーニ夫妻の肖像》、
1434年

マーティン 「絵」の歴史を見ていくと、**作られた時代や場所はまったく異なるのに、多くの「絵」に似た点がある**ことに気づきます。部屋にいる2人の人間、窓の外の景色、そしてペット。ヤン・ファン・エイクの《アルノルフィーニ夫妻の肖像》に描かれているのはそれだけです。それから500年以上あとにあなたが描いた《クラーク夫妻とパーシー》（16ページ）にも、まったく同じものが描かれていますよね。

ファン・エイクは、15世紀に活躍したネーデルラント（現在のベルギー、オランダ、ルクセンブルクを含む地域の総称）の画家です。彼の絵はひじょうに斬新で、同じ時代の画家が描いた絵とはずいぶん違って見えました。**油絵の具を塗り重ねることで、深みのある豊かな色あいと繊細な表現を生みだしたんですね。**ファン・エイクがこのブリュージュ（ベルギー北西部の都市）の商人ジョヴァンニ・アルノルフィーニとその妻の肖像画を描いたのは、1434年のことでした。

デイヴィッド ファン・エイクの絵は、**それまで絵の中に登場したことのないものであふれている**ね。アルノルフィーニ夫妻の肖像画の中央には凸面鏡があるけど、ファン・エイクより先に、こうした鏡を絵に描いた画家なんていなかった。だからきっと、ファン・エイクは苦労したに違いない。あとから鏡を描こうと思った人には、お手本ができたわけだけど。それは、この肖像画に描かれているほとんどすべてのものにあてはまることだよ。ちょっと汚れた木靴、窓のそばのオレンジ、シャンデリア。**ファン・エイクが見つけた描き方を、ほかの画家たちはまねすればよかった。**

デイヴィッド・ホックニー、《クラーク夫妻とパーシー》、1970−71年

デイヴィッド　これは、ぼくが1971年に描いた、友人のセリア・バートウェルとオシー・クラークの肖像画だ。場所は彼らが住んでいたロンドンのノッティング・ヒル・ゲートのアパートだよ。

マーティン　「絵」の中には、そこに描かれているものが**今ではすっかり見かけないもの**になっていても、わたしたちの心をとらえて離さないものがあります。あなたの絵の隅に描かれている白いダイアル式の電話も、1971年にはおしゃれで人気の電話でしたが、今の人たちの目には**むしろ奇妙に映る**はずです（先ほどのジョヴァンニ・アルノルフィーニがかぶっている風変わりな帽子や、夫人が着ている緑色のガウンだってそうです）。この本の読者も、あの白い電話はいったい何だろうと首をかしげるかもしれません。それでも絵の中の2人の人物、花、そして猫のパーシーを見て興味を引かれ、好奇心を抱くでしょう。誰がどんな理由で描いたのかわからなくても、はるか昔、洞窟の壁に描かれた動物の絵に見入ってしまうように。

歌川広重、《隷書東海道五十三次　四十二　宮・七里の渡し　熱田の居　寝覚の里》1847-52年頃

デイヴィッド 「絵」は別の「絵」に影響を与えることがある。フィンセント・ファン・ゴッホは、19世紀のヨーロッパで最初に「あざやかな色彩と太い輪郭」という日本式の絵の描き方をとり入れた芸術家だ。ゴッホは、まぶしい太陽の光がさんさんと降りそそぐ、南フランスのアルルで暮らした。ゴッホの強烈な色づかいに影響を受けた画家も多いんだよ。

フィンセント・ファン・ゴッホ、《タンギー爺さん》、1887年

ゴッホが日本の絵から学んだことは、もうひとつあるんだ。それは**「影を描かない」**ということ。芸術家たちが「光と影」をどのように操ったのか、それについてはのちほど詳しく見ていくことにしよう。

マーティン　ゴッホが描いた、友人の肖像画《タンギー爺さん》は、背景が際立っていますね。ゴッホは、コレクションした**日本の浮世絵を、絵の背景にそのまま再現**しています。19世紀後半の芸術家たちは、こぞってこうした浮世絵を集めました。これまでにない絵の描き方が、そこにあったからでしょう。アートはもはや、**現実と同じ姿をしている必要はなくなった**のです。

デイヴィッド ファン・エイクの「アルノルフィーニ夫妻」の絵（16ページ）に話は戻るけど、ぼくは、アトリエでこの絵を描いているエイクの姿を想像するのが好きなんだ。彼のアトリエは、**ハリウッド映画の撮影所みたい**だったんじゃないかな。かつら、鎧かぶと、シャンデリア、マネキン……ありとあらゆる小道具がそろっていただろうね。アトリエに何があったかは、絵を見ればわかるよ。想像だけであんな絵が描けるとは思えないからね。絵を描くというより、映画の撮影に近かったかもしれないな。**衣装よし、照明よし、カメラよし。アクション！** って具合にね。

マーティン 「絵」と写真と映画には、共通点もたくさんあるんですよ。その話は、またあとにしましょうか。

デイヴィッド ぼくが子どもの頃、映画だって「ピクチャー（絵）」と呼ばれていたんだ。「ピクチャーを見にいっていい、ママ？」なんてね。映画は「動いているピクチャー」だけど、「ピクチャー」であることに変わりはなかった。

マーティン 映画がハリウッドで制作されたのは、カリフォルニアの強い陽ざしが映画の撮影にぴったりだったからでしょう。言いかえれば、映画の制作者は、カラヴァッジョやレオナルド・ダ・ヴィンチのような偉大な画家も頭を悩ませてきた、**「照明」という問題を抱えていた**ことになります。インパクトのある「絵」を作るには、**対象物をどう照らせばいいのか**を考えなければならなかった。

レオナルド・ダ・ヴィンチ、《モナ・リザ》、1503－19年頃

マレーネ・ディートリッヒの写真、1937年頃

デイヴィッド　レオナルド・ダ・ヴィンチの傑作《モナ・リザ》は、**いくつもの影を重ねあわせて描いた肖像画としては、最も古い**ものに数えられる。モナ・リザの顔には、すばらしい光が当たっているね。鼻の下の影とか、ほほ笑みを見てごらんよ。光が黒々とした影に溶けこんでいるところなんか、**いったいどうやって描いたのか、ぼくには想像もつかない。**そうした技術を身につけるには、とても長い時間がかかっただろうね。この光の当て方を見ていると、ハリウッドの名女優マレーネ・ディートリッヒの写真を思い出すんだ。

デイヴィッド　ウォルト・ディズニーは、**アメリカが生んだ偉大な芸術家のひとり**だ。1930年代から40年代にかけて、最も人気のあった映画スターは誰だと思う？　ミッキー・マウスとドナルド・ダックさ！　今でも人気っていうんだから、すごいことだよ。

『ピノキオ』で、ピノキオとゼペットがクジラのお腹の中にのみこまれた場面をフレーム再生で観てみると、その映像のすばらしさがわかると思う。2人は、クジラにげっぷさせようと、お腹の中で火をつけるんだ。そのあとの、クジラの外に吐き出されてからの場面がみごとなんだよ。2人はクジラに追いかけられつつも、波間に浮かぶ筏に乗って嵐の中をただよい、やがて浜辺に流れつく。

この場面がどうやって作られたのか、それに気づいたときは驚いたよ。泡立つ海水、打ち寄せる波。**中国の絵や日本の浮世絵を思わせる**、動きのある表現だよね。ディズニーのアニメーターは、水の写真を見て研究したんだろうけど、**東洋の「絵」もきっと参考にした**はずだ。ピノキオとゼペットが打ち上げられた海岸には、泡立つ海水が押し寄せ、砂にしみこんでいく。その様子は本当にすばらしいよ。

ウォルト・ディズニー・プロダクションズ、『ピノキオ』のスチル写真、1940年

歌川広重、《阿波　鳴門の風波》（部分）、1853年頃

[マーティン]　歴史というものは、時間の流れに沿ってまっすぐ進むものではないんですよ。芸術家は、いつの時代も何かしら難題にぶつかっています。**「絵」の中で物語を語るのに、空間をどう使うのかとか、筆やペンでつけた「しるし」を、どうやって人間や物のように見せるのかとか**。ですから、この本では「絵」が作られた時代や場所に注目する前に、そうした**「絵」の問題を解く方法について考えてみたい**と思います。

　また、科学技術が「絵」の歴史に与えた影響について も見ていきましょう。写真、新聞、映画、テレビ、そしてインターネットやスマートフォンが登場したおかげで、ものすごい量の「絵」を、世界のどこにいても、あっという間に共有できるようになりました。「絵」はどんどん変化しています。今は、大勢の人たちが信じられないほどの速さで「絵」を作ったり、編集したりしているんですよ。

[デイヴィッド]　みんな「絵」が好きだよね。「絵」には、ぼくたちが周りの世界をどう見るか、その見方を左右する力がある。たいていの人は、文字を読むより「絵」を見るほうが好きだ。それはこれからも変わらないだろうね。**人間は、言葉よりも「絵」のほうが好きなのかもしれない**。ぼく自身、いろんな世界を見るのが好きだし、どうやって見るか、何を見るかということに、いつも興味があるんだ。**「絵」の歴史は、洞窟から始まってiPadで終わっている**。今のところはね。これから「絵」がどこに行こうとしているのか、それは誰にもわからないんだよ。

2

「しるし」をつける

「しるし」を見ておもしろいと感じるのは、
どうしてだろう？

洞窟のライオン、レ・コンバレル洞窟、フランス、紀元前12000年頃

(デイヴィッド) 紙にペンや筆で2つか3つ「しるし」をつけたとたん、**それが何か
に似ているように見えてくる**。短い線を2本引けば、2人の人間か、2本の木に
見えるだろう。「しるし」が4つになると、それが顔に見えてくるはずだ。ぼく
たちは、「しるし」（「筆あと」と言ってもいいかもしれない）の中にいろんなものを見よ
うとする。**ほんの少しの「しるし」で、風景や人間、動物を表現することができ
る**ってことだね。

(マーティン) わたしたちは、外の世界に目を向けたとき、**そこにあるものを別の
ものとして見ようとする**ことがあります。芸術家のレオナルド・ダ・ヴィンチは、
**周囲の壁や岩の上にできた影や引っかき傷、模様を見て、美しい風景や人間の
姿、顔を想像した**といいます。では、この「洞窟のライオン」はどうでしょうか。
14000年以上前、この作品を作った大昔の芸術家は、石器で岩を削り、洞窟の壁に
自然にできた割れ目やでっぱりを、立派なライオンへと生まれ変わらせたのです。

デイヴィッド 「しるし」を見ておもしろいと感じるのは、どうしてだろう？　ぼくは、**そこに動きがあるから**だと思う。芸術家が「絵」に残した筆づかいを見れば、その線がすばやく描かれたのか、それともゆっくり描かれたのかがわかるはずだよ。

　中国の画家は、同じものを何度もくり返し描いて、絵を描く練習をしたんだそうだ。例えば、鳥を描くのに、はじめは筆を10回動かして、10個の「しるし」で鳥を表現する練習をした。そして練習を重ね、「しるし」の数を3つか4つに減らしていく。以前、中国の若い画家が猫を描くのを見たことがあるんだけど、**ここぞという場所に「しるし」をつけていたよ。**中国では、漢字を書くことも、絵を描くことと深く結びついているのかもしれない。どちらも、ほんの少し「しるし」が変化しただけで、まったく違う意味が生まれるんだからね。

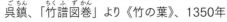

呉鎮、「竹譜図巻」より《竹の葉》、1350年

牧谿、《六柿図》、13世紀

　13世紀、中国の僧で画家でもあった牧谿は、絹の上に墨で６つの柿をみごとに描いている。絵の中に残された「しるし」はごくわずかで、筆を動かした回数を数えられそうなほどだ。それなのに、**６つの柿はどれもちゃんと違って見える**んだから驚きだよ。

　この時代、**中国の画家は色をほとんど使わなかった。**だからこそ、墨の使い方や筆づかいが何よりも大切だったんだね。明の時代の作家が「絵」について語った本があるんだけど、その本にはなんと26通りもの「岩の描き方」と、27通りもの「木の葉の描き方」が説明されているんだ。

（デイヴィッド） 芸術家たちは、歴史の中で「しるし」を互いに貸し借りしてきた。「絵」をよく見れば、それがわかると思う。ほかの芸術家の作品を**まねすることで、「しるし」のつけ方を学ぶ**んだよ。17世紀、アムステルダムで活躍していたレンブラントは、中国の絵を見たことがあったんじゃないかな。アムステルダムは港町で、オランダは遠い東アジアの国々と貿易をしていたからね。中国の絵も、香辛料や陶器、絹なんかと一緒に、船で運ばれてきていたはずだ。

　レンブラントの、「歩き方を教えてもらっている子ども」を描いたデッサンを見てごらん。子どもが、お母さんとお姉さんに支えられている。お母さんは子どもの手をしっかりとつかんでいる。お姉さんのほうは、ちょっとためらっている感じだね。子どもが不安そうな表情を浮かべているのが、**1つか2つの小さな「しるし」から見てとれる**。左側でしゃがむお父さんの目は、興奮に輝いているけど、それを表現しているのは**たった2つのインクの「しみ」**っていうんだから、すごいことだよ。

32

レンブラント・ファン・レイン、《あんよを教えてもらう幼児》、1656年頃

　レンブラントは、**線もほとんど使わずに描いている**んだ。それでも、お母さんのスカートがちょっとほつれていることも、乳しぼりの娘が手にさげているバケツがいっぱいで重たいってこともわかる。このデッサンはまさに傑作だよ。

　レンブラントのデッサンは、どれもそう大きくない。当時、紙はとても高価なものだったから、すみずみまで使わないともったいなかったんだ。小さなサイズに複製された作品だと、細かいところまで見えないかもしれないけど、拡大されたものがあったら、よく見てごらん。いろんなことに気がつくだろうし、**デッサンがすぐれた芸術だ**ということもわかるはずだ。

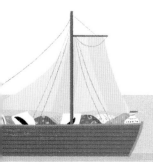

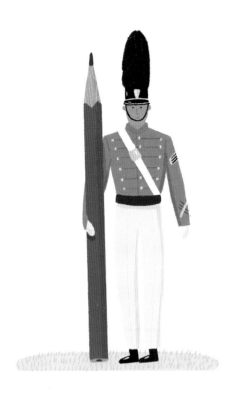

デイヴィッド 誰でもデッサンが描けた時代があった。写真が登場する以前は、アメリカの陸軍士官学校でもデッサンを教えていたんだよ。デッサンは、陸軍の士官に必要な技術だったからね。技師になるには、機械の絵が描けないといけなかった。そんな時代が3万年ほど続いた。上手にデッサンを描く技術を身につけることは、実はとても大事なことなんだよ。

マーティン 有名な画家たち、例えばラファエロやミケランジェロ、ターナーは、10代の初めから絵の仕事をしていました。テニスをしたり、楽器を演奏したりするのと同じで、**絵を描くのだって、毎日練習する必要があるん**です。

　この「走る男」の絵のように、ミケランジェロの絵には見る人を引きつける力があります。それを物語る、有名な話を紹介しましょう。1496年、ローマの貴族、ヤコポ・ガッロがミケランジェロの家を訪ねて、作品を見せてほしいと言いました。ちょうど見せられるような作品がなかったミケランジェロは、**羽根ペンで「手」のデッサンを描いた**のです。ガッロはその腕前に、言葉を失ったといいます。

デイヴィッド ミケランジェロのデッサンを目の前にしたら、誰だってびっくりするに違いないよ。ミケランジェロのことをよく知らない人なら、なおさらそうだろうね。信じられないほどすばらしいんだ。彼の作品の中には、どうやって描いたのかわからないものさえある。

ミケランジェロ、《走る男の習作》、1527－60年頃

ウィリアム・アドルフ・ブーグロー、《ミニヨン》（部分）、1869年

マーティン　18世紀の後半になると、「筆のあと」が見えない絵が増えはじめます。その当時、ロンドンのロイヤル・アカデミー（イギリスの国立美術学校）やパリのサロン（パリの芸術アカデミーが開いていた展覧会）といった大きな展覧会に展示されていた作品は、表面にでこぼこしたところがまったくない、なめらかなものばかりでした。目に見える「しるし」はひとつもなく、**まるで写真のような絵**だったのです。

　ですが、エドゥアール・マネがパリで絵を描きはじめた1850年代から1860年代にかけて、絵の中に**「筆のあと」がふたたび姿を現す**ようになりました。例えばこの作品——《すみれの花束をつけたベルト・モリゾ》——は、そのときほかの画家が描いていた絵とはまったく違っていました。**マネの絵は生き生きとして、活気にあふれていた**のです。マネに続いたのが、クロード・モネや印象派と呼ばれる画家たち、そしてフィンセント・ファン・ゴッホでした。当時、彼らの絵は、きちんと仕上がった作品ではなく、ただのスケッチのようだなどと批判を受けていました。

エドゥアール・マネ、《すみれの花束をつけたベルト・モリゾ》、1872年

デイヴィッド　モネや印象派の画家たちは、アトリエにこもるのではなく、野外で作品を制作（戸外制作）したんだ。移り変わる天気の中、ときにはものすごいスピードで描くこともあった。例えば、このモネの絵。これは、セーヌ川の氷が溶ける様子を描いたものだ。セーヌ川が凍るなんてめったにないことだから、モネは川辺まで降りていって、そこで絵を描くしかないと思ったわけだ。

マーティン　1879年から1880年にかけての冬、フランスは19世紀でいちばんの寒さに襲われていました。セーヌ川は厚い氷に覆われ、その上に雪が何層にも降り積もっていたといいます。そのときモネは、パリ郊外の町ヴェトゥイユで暮らしていました。1月4日、ついに雪解けが訪れ、セーヌ川の東側から西側へと流氷が流れはじめたのです。

デイヴィッド　セーヌ川で流氷が見られると聞いて、モネはさっそく作品に取りかかったに違いない。氷は溶けはじめてしまうと、一晩ももたなかっただろうしね。だから、モネはとにかくすばやく絵を描かなきゃならなかった。夕日が沈もうとしているときは、日が暮れてしまうまでに1時間しかないとわかっているから、いつもよりもすばやく描こうとするだろう？　モネだって、夢中で目の前の景色を見つめたはずだ。「絵」は、**それを見なければ気づかなかったかもしれないものを、ぼくたちに見せてくれることがある**。モネのおかげで、ぼくたちは世界をよりはっきりと見ることができたんだよ。

クロード・モネ、《氷の融解》、1880年

デイヴィッド ぼくはヨークシャーに滞在して絵を描いていた頃、光や空がいかにすばやく変化するものなのか気づいたんだ。そのときの気候は、モネが絵を描いていた、北フランスの気候とよく似ていたと思う。2013年の春、イースト・ヨークシャーのウォルドゲイトの風景を木炭で描いたときは、**いろんな種類の「しるし」を使ってみたん**だ。絵に変化をつけるためにね。パブロ・ピカソ、アンリ・マティス、ラウル・デュフィの絵を参考にした。といっても、ぼくが使った「しるし」は、木炭でつけられる「しるし」だけだった。だって、それしかできないからね。

「絵」に歴史があるように、**「しるし」にだって歴史がある**んだよ。芸術家たちはさまざまな「しるし」を使い、互いにまねしあった。ペンや木炭、鉛筆で描いた「しるし」もあれば、筆のあとや、絵の具で表現した「しるし」もある。**絵の描き方を学んで、実際にまねしてみれば、「しるし」のことがもっとわかる**ようになるだろう。

ラウル・デュフィ、《ブーローニュの森の大通り》、1928年

デイヴィッド・ホックニー、《ウォルドゲイト、５月26日》、2013年

3
_

光と影_{かげ}

影って、いったい何だろう？

【マーティン】　2000年ほど前、ローマの学者、大プリニウスは、「古代エジプト人とギリシャ人は互いに、肖像画を発明したのは自分たちのほうだと主張している」と書き残しています。どちらも、**人の影の形をなぞる**という方法で絵を描いています。

そうは言っても、プリニウスの時代、絵画にはすでに３万年以上の歴史がありました。初期の画家たちも、物の輪郭や影の形をなぞって絵を描いていたのです。南フランスやスペイン、アルゼンチンの洞窟の奥、先史時代の遺跡などに残っている絵の中には、天然素材から作った絵の具を作者の手のまわりに吹きつけただけの、ステンシル画（型ぬき染め）のような絵もあります。いうなれば、**世界初の「サイン入りの絵」**ですね。

それからずっとあとの18世紀や19世紀、ヨーロッパでは輪郭を写し取って黒く塗りつぶした「シルエット」が、安く手に入る肖像画として人気を集めるようになります。「シェイズ（影）」や「プロファイル（横顔）」とも呼ばれていたこの肖像画を作るには、右のページにあるような、ちょっと変わった装置が必要でした。

手のシルエット、クエバ・デ・ラス・マノス（手の洞窟）、サンタ・クルス、アルゼンチン、紀元前7000年－1000年頃

トマス・ハロウェイ、《シルエットを確実に描ける便利な器械》、1792年

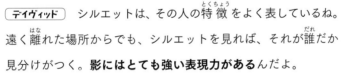

デイヴィッド シルエットは、その人の特徴をよく表しているね。遠く離れた場所からでも、シルエットを見れば、それが誰だか見分けがつく。**影にはとても強い表現力がある**んだよ。

45

（デイヴィッド）　ぼくは影があるとすぐ気づくんだ。生まれ育ったブラッドフォードでは、日光が弱くて影をあまり見かけなかったからだろうね。**影を作るには、強い光が必要**だ。パリのギャラリーで、フリオ・ゴンサレスの彫刻の影を撮影したことがある。その写真をもとに、2つの作品を作ったんだ。右のページの絵もそうだよ。綿のカンヴァスに淡く色を塗り重ねて影を表現してみた。彫刻の部分には、さらに厚く絵の具を塗ってある。

（マーティン）　影とは何でしょうか？　それは、**物体の後ろにある、光の当たらない範囲**のことです。輪郭に囲まれた闇の部分、といえばいいでしょうか。

（デイヴィッド）　そう、**影とは「光がない」部分**のことなんだ。でも、そこに影があるのに気づかないことだってある。撮った写真に自分の影が映りこんでしまったりするのは、撮るときに影に気づいていないからではないかな。デッサンを描くときは、影をまったく無視して描くことだってできる。ぼくも、影を描かずに輪郭だけ描くときだってあるよ。

デイヴィッド・ホックニー、《ゴンサレスと影》、1971年

マーティン　影にだまされることもありますね。影というのは**そもそも、実体がないんです**。古典映画の名作『第三の男』（1949年）に、主人公でならず者のハリー・ライムがウィーンの街角に消えていく、という場面があります。実はこの場面、ハリー・ライムを演じたオーソン・ウェルズが現場を離れていたために、助監督がだぶだぶのコートに詰め物をして、ウェルズの代わりに演じたものなんですよ。

　影は情報を伝えることができるだけでなく、**錯覚を起こす**ことだってできます。ティム・ノーブルとスー・ウェブスターの作った彫刻は、一見すると、がらくたを積み上げただけにしか見えません。ですが、この彫刻が壁に落とす影を見れば……どうでしょう！　そこには、**信じられないくらい人間そっくりなシルエット**が現れているのです。右のページの写真は、この彫刻が自ら作りだした「自画像」なんですよ。

右ページ：ティム・ノーブル、スー・ウェブスター、《HE／SHE》（部分）、2004年

（デイヴィッド）　芸術家が、どうやって目の前にある物を「本物らしく」表現しているかわかるかい？　物を立体的に見せるためには、光と影_{かげ}がないとだめなんだ。

（マーティン）　古代ギリシャの芸術家、ゼクシウスとパラシオスが、どちらが絵を上手に描_かけるか腕比_{うでくら}べをしたときの、興味深いエピソードが残されています。ゼクシウスはブドウの絵を描いたのですが、その絵があまりにすばらしかったので、**本物だと思った鳥たちが絵の周りを飛びまわったん**だそうです。これで自分の勝ちだと自信満々だったゼクシウスは、パラシオスの絵に布がかけられたままなのに気づき、覆_{おお}いを取るようにと言いました。ですが、**その布は描かれたもの、つまり絵の一部**だったんです。パラシオスの絵は「錯覚_{さっかく}」だったんですね。こうして、パラシオスが腕比べに勝利しました。実際にこの２人がどんな絵を描いたのかはわかりませんが、下のポンペイの壁画_{へきが}と同じような絵だったと考えられます。ポンペイ遺跡_{いせき}のジュリア・フェリーチ邸_{てい}から見つかったこの壁画は、腕比べのエピソードと同じ時代に描かれたものなんですよ。

《果物かごとワイン瓶_{びん}のある静物》、70年頃_{ごろ}

クララ・ペーテルス、《果物と死んだ鳥、サルの静物画》、制作年不詳

デイヴィッド　16世紀や17世紀のヨーロッパの画家たちは、数え切れないほどの「静物画」を残している。果物が盛られたかごや、花が生けられた花びんに強い光を当てて、「静物」を濃く暗い影の中に描いた。鳥がついばもうとするほどみごとなブドウの絵を描いたゼクシウスもそうだけど、**影を使うことで、画家たちは本物と見まちがえるような絵が描けた**んだよ。でも、そのやり方はどうやって見つけたんだろう？

（デイヴィッド）　強い光と暗い影を組み合わせた最初の画家といえば、カラヴァッジョだね。16世紀後半にローマで活躍し、有名になったイタリアの画家だよ。ぼくはカラヴァッジョの絵を何度も何度も見て研究したんだけど、**物を印象的に見せるための「光の当て方」**を、カラヴァッジョは見つけ出していた。カラヴァッジョの描く影は、ありえないほど暗いんだ。**そんな暗い影は、自然界には存在しない。**

　ぼくは長い間、カラヴァッジョやほかの芸術家たちがどうして本物そっくりな絵を描くことができたのか、その方法について考えてきた。カラヴァッジョはたぶん、描こうとしている人物（モデル）にアトリエでポーズを取らせ、**その姿をカンヴァスに投影して絵を描いた**んじゃないかと思う。

　つまりこういうことだ。カラヴァッジョは、強い光が当たる場所——例えば窓のそば——にモデルを置き、自分自身は小さな穴をあけた壁や仕切りの向こう側にいて、絵を描いた。小さな穴を通して入ってきた光によって、カンヴァスに「像」が投影される。投影された「像」は本物とまったく同じだけど、上下さかさまになっているんだ。ぼくも実際にやってみたけど、その「像」の正確さには本当に驚かされたよ。

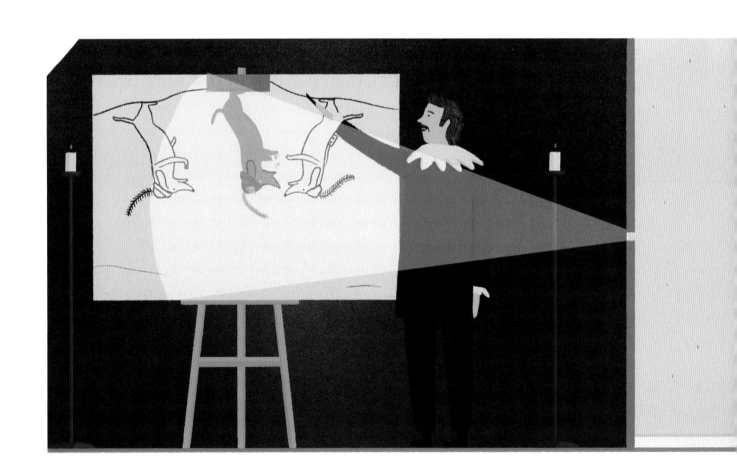

カラヴァッジョ、《キリストの捕縛》、1602年頃

　このモデルの次は、あっちのモデル――腕や顔といった、身体の一部だけのときもあったかもしれない――という具合に、次々とモデルの姿を投影しながら、カラヴァッジョは作品を仕上げていったのだろう。モデルたちが動いたり休憩をとったりする前に、**すばやく輪郭を写しとらないといけない**から、それは大変な作業だっただろうね。

53

マーティン　カラヴァッジョの絵には、**同じ人物が何度も姿を現します。**例えば、この鼻にイボのある、ごわごわしたひげを生やした、白髪まじりの髪の男性は、同じ時期に描かれた絵の中に、**少なくとも3回以上は登場**しています。《エマオの晩餐》の右側にもいますね。よく見れば、《聖トマスの懐疑》でも、同じように額にしわを寄せた男性の姿で、2度も描かれています。後ろのほうに立っているキリストの弟子と、手前にいる聖トマス（こちらには髪がつけ足されていますが）の両方のモデルになっているようです。

デイヴィッド　カラヴァッジョは、のちの時代の芸術家に大きな影響を与えたんだ。カラヴァッジョの描き方はヨーロッパじゅうに広がり、多くの画家たちが、インパクトのある光に照らされた場面を描くようになった。きみも、次に「絵」を目にしたときに、その「絵」の中で**光がどんなふうに使われているのか、影がどうなっているのか**を、よく観察してみるといいと思うよ。

カラヴァッジョ、《エマオの晩餐》、1601年

カラヴァッジョ、《聖トマスの懐疑》、1601－02年

カラヴァッジョの絵をよく見ると、同じ男性が３度登場していることがわかる。

4

空間に注目しよう

芸術家たちは、「風景」を
どんなふうに描いているんだろう?

デイヴィッド　ぼくは絵を描こうとするとき、最初にこう考えるんだ。「**こ
の画面をどう使えばいいだろう？**　描きたいことを、この画面でどうやっ
て表現しようか？」デッサンを描くうえで大事なことは、**人物や物をうま
く空間の中に配置できるかどうか**なんだ。

　ある風景を目にしたとき、ぼくたちは無意識に考えている。最初に何を
見るか、2番目に何を見るか、3番目に何を見るかってね。でも、写真は
一瞬で全部をとらえてしまう。視点を定めて、シャッターを1回切るだけ
でいい。ぼくたちは、そんなふうにものを見たりしないよね。すべてを見
るには時間がかかるし、**視線はつねに動いている**んだ。

デイヴィッド・ホックニー、《二度目の結婚》、1963年

アンドレイ・ルブリョフ、《三位一体》、1425−27年

マーティン　物体を画面という平面に配置し、奥行きや距離があるように見せる
方法があります。**「遠近法」**と呼ばれる方法です。中世の絵、例えばこのアンドレイ・
ルブリョフの絵を見てみると、祭壇やテーブル、王座といった物体の、右側と左側
の両面が描かれていることがわかります。

マーティン 15世紀初期、イタリアの都市フィレンツェでは、芸術家たちが新しい方法で空間を表現した「絵」を描きはじめました。彼らは、まっすぐな道や線路をずっと先まで目で追っていったときのように、平行な線が遠く離れたところにある1点に向かって伸び、消えていく図を想像しました。この線に沿って描けば、**人物や物体の大きさを正確に表現できる**ことに気づいたのです。その結果、カメラ

のレンズを通して、あるいは片目を閉じて、じっと動かずに見たときの
世界と同じような「絵」が描かれるようになりました。消えていく線に
そって描くわけですから、手前にあるものはすべて大きく描かれ**距離が**
遠ければ遠いほど、描かれたものはどんどん小さくなり、しまいには
消えていきます。この時代、多くの「絵」がこうした手法で描かれました。
パオロ・ウッチェロの《森の狩り》もそのひとつです。

パオロ・ウッチェロ、《森の狩り》（部分）、1470年頃

デイヴィッド とは言っても、芸術家たちがみんな遠近法に忠実に従ったわけではない。北ヨーロッパで活躍していたヤン・ファン・エイクの絵を見てみると、**何もかもが近くに感じられる。** 遠くにいる人たちの顔でさえね。

この《ファン・デル・パーレの聖母子》という絵でも、ファン・エイクの描いた人物の大きさは、彼らのいる教会の大きさとはどうにもつり合いがとれない。でも、そうだと気づくには時間がかかるし、気づかない人だっているだろう。

人物はすぐ近く、きみの目の前にいる。まるで**自分がその場にいる**ような気さえしてくる。建物の大きさに比べたら、人物が大きすぎると思うかもしれないけど。当時、この絵を目にした人たちは、あまりの本物らしさに驚いたことだろう。今見ても、それは変わらない。司教のガウンを彩る金糸や、甲冑の輝きを見てごらん。本当に細かいところまで描きこまれている。

ヤン・ファン・エイク、《ファン・デル・パーレの聖母子》、1436年

PEARBLOSSOM HWY

デイヴィッド・ホックニー、《ペアブロッサム・ハイウェイ、1986年4月11−18日、No.2》、1986年

デイヴィッド ぼくは遠近法のことがもっと知りたくて、1980年代には遠近法をテーマに「絵」を作っていた。カリフォルニアのペアブロッサム・ハイウェイを描いたこの「絵」は、**何百枚もの写真のコラージュ**でできている。あたかも、ひとつの視点——道をまっすぐ見渡す視点——から描かれた「絵」のように見えるかもしれないけど、実はそうじゃない。ぼくは、**人間はひとつの視点からものを見ているわけではない**ということを伝えたかった。ぼくたちの目はたえず動いているし、ぼくたち自身も動いている。だからぼくも、この景色の中を動き回って、いろんな場所で写真を撮った。物体にできるだけ近づいて、砂利道や砂漠の植物、地面に転がる空き缶や瓶の質感をとらえようとしたんだ。

道端の標識は、はしごにのぼって撮影したんだよ。地面の標識もそうだ。まっすぐ見下ろそうと思ったら、高いところに上がるしかないからね。

写真を撮り終わるまでに1週間かかった。同じ場所に太陽の光が当たってなくてはいけないから、毎朝9時から11時まで写真を撮り続けたんだ。この作品には、**全部で850枚もの写真**が使われているんだよ。

王翬、《康熙帝南巡図巻》七巻、無錫市から蘇州市へ、1689年（部分）、1698年

デイヴィッド　中国や日本の絵を見ているときは、視線があちこち動き回る。絵の景色の中を、自分も一緒に旅しているような、そんな気分になるんだ。ひとつのところに立ち止まることなく、動き続けている。そんな感覚だよ。

マーティン　中国の風景画家は、スケールの大きな、堂々たる作品を残しています。王翬（おうき）は、中国の皇帝康熙帝（こうきてい）が中国南部を視察したときの様子を、12巻もの絹の巻物に描（えが）きました。左のページで紹介している、大運河を渡る村人の絵は、大きな作品のほんの一部分です。さらに巻物を広げていくと、空に向かってそびえ立つ高い山々やごつごつとした丘が現れます。

デイヴィッド　中国の絵巻物は、西洋の「絵」とは異なる種類の「絵」だ。美術館の壁（かべ）にかかっている「絵」と違（ちが）って、**絵巻物は箱の中に納められていて、特別なときに取り出して眺（なが）める**ものだからね。一度に全体を見ることはできない。開いたところから、少しずつ見ていくしかない。そういう意味では、**端（はじ）っこっていうものがない**んだ。ぼくも13世紀に描かれた絵巻物の複製を持っているんだけど（下で紹介しているのがそうだ）、景色全体を見ようと思ったら、転がして巻物を開いていくしかない。

黄公望（こうこうぼう）、《富春山居図（ふしゅんさんきょず）》、1347年

レオナルド・ダ・ヴィンチ、《最後の晩餐》、1494－99年

<u>マーティン</u>　芸術家たちは、「絵」で物語を語ります。レオナルド・ダ・ヴィンチの《最後の晩餐<ruby>餐<rt>ばんさん</rt></ruby>》では、**見る人を物語の世界に引きこもうと、あらゆるもの**が計画的に描<ruby>描<rt>えが</rt></ruby>かれています。《最後の晩餐》は、イエス・キリストが弟子たちと夕食をとっている場面を描いた絵です。レオナルド・ダ・ヴィンチは、キリストが弟子たちに**「この中の誰かが自分を裏切り、自分は死ぬだろう」**と告げる、まさにその瞬間<ruby>瞬間<rt>しゅんかん</rt></ruby>をとらえたのです。この「晩餐の風景」を描いた絵は、ミラノにある修道院の「食堂」の壁<ruby>壁<rt>かべ</rt></ruby>を飾<ruby>飾<rt>かざ</rt></ruby>っています。その背景に注目してみると、空間に奥行きをもたせ、キリストや弟子たちが同じ部屋の中に座っているように見せるため、画家が遠近法を用いたことがわかるでしょう。

　ひとつの「絵」の中で物語を語り、時間の移り変わりを表現することは、芸術家にとっては骨の折れる挑戦<ruby>挑戦<rt>ちょうせん</rt></ruby>です。エドワード・ホッパーの《ナイトホークス》は、まるで映画の一場面を切り取ったように見えます。つい今しがた、「絵」の中の登場人物の身に何が起こったのか、そしてこれから何が起ころうとしているのか、わたしたちは手にとるように想像できるのです。

　「絵」の中で物語を語る方法は、ひとつではありません。別々の時間に起こったさまざまな出来事を、**同じ「絵」の中に並べて描く**こともできます。あるいは印象的なエピソードの連続を、漫画<ruby>漫画<rt>まんが</rt></ruby>のように次々と描いていく方法もありますね。

エドワード・ホッパー、《ナイトホークス》、1942年

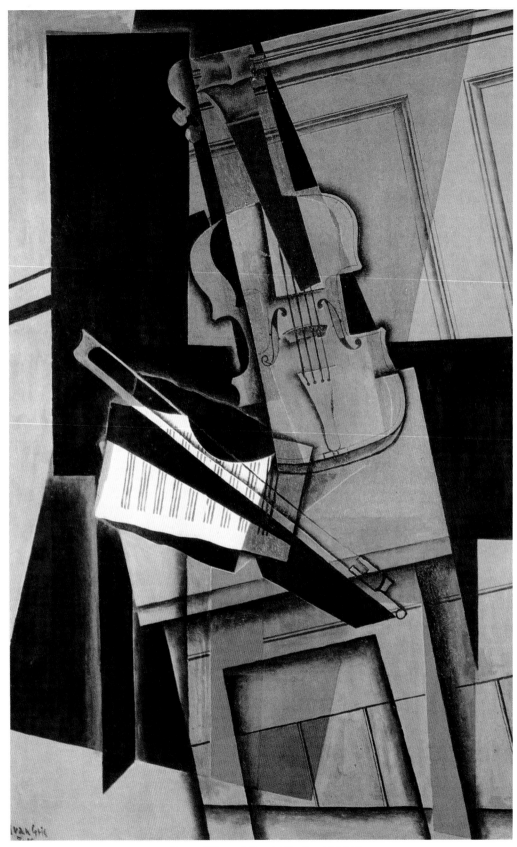

フアン・グリス、《ヴァイオリン》、1916年

（マーティン） さて、20世紀の初め頃、パブロ・ピカソとジョルジュ・ブラックはまったく新しい描き方を発見しました。その手法は、キュビズムと呼ばれるようになります。キュビズムの画家、フアン・グリスの描いたヴァイオリンの絵を見てみましょう。ヴァイオリンをひとつの視点から描くのではなく、**さまざまな角度や視点から見たヴァイオリン**をひとつの画面の中に描いたのです。

（デイヴィッド） キュビズムは500年にもわたって用いられてきた遠近法に、大きな衝撃を与えた。それは絵の歴史において、最初のとてつもなく大きな変化だったんだよ。キュビズムの画家の多くは、身近にあるものを描いている。テーブルの上にある物とか、椅子に座っている人とかね。建物は描かなかった。

　ピカソの作品を見ると、**人物を正面から見た姿と、後ろから見た姿**が、１枚の絵の中で組み合わされている。つまり、見ているほうは、**その人物のまわりを一周した**ことになる。これって、記憶の中にあるものの見え方や、映画に似ていると思うんだ。**頭の中の「絵」**と言ってもいいかもしれないね。

鏡と反射

芸術家たちは、「光」とどう向き合ったんだろう？

デイヴィッド　鏡には、とても強い力がある。「絵」を作りだせるんだからね。鏡に映ったきみの姿は、本物とは違って見えるはずだ。**鏡は本物の世界を「絵」に変えてしまう**んだ。レオナルド・ダ・ヴィンチもこう言っている。画家は自分の作品を鏡に映してみれば、良い作品かどうかがわかるだろうって。鏡は、ものを違った視点から見るのに役立つんだよ。

マーティン　人間は、ごく古い時代から、鏡に興味をもってきました。実のところ、鏡は「絵」と同じくらい、古いものなんですよ。トルコのアナトリアでは、**石を磨いて作った6000年前の鏡**も見つかっています。古代ギリシャでは、銅などの金属を磨いて鏡を作っていました。古代の芸術作品に、鏡に何かが映っているところを描いた絵があるのもうなずけます。

　右のページの絵にも、鏡のようにつるつるした盾が描かれていますね。これは、アレクサンドロス大王とペルシア王ダレイオスとの戦いを描いたものです。銀を磨いて作ったと思われる大きな円盤が、地面に落ちた瞬間をとらえています。ひとりの兵士が、自分のほうに落ちてくるものから身を守ろうと、とっさに手をあげ、その悲しそうな顔が盾の表面に映っています。

上：エリトリア（アフリカ北東部にある国）の画家、
《鏡を手に座る女》、紀元前430年頃
右：《アレクサンドロス大王とペルシア王ダレイオスのイッソスの戦い》（部分）、紀元前315年頃

マーティン　鏡に映った像によく似た絵を描きたいと考えた画家は、大勢いたようです。イタリアの芸術家パルミジャニーノは、自分の絵が鏡の中に見えるものとそっくり同じになるように、**表面がカーブした特別な板**を作って、そこに絵を描いたんですよ。そして、鏡に映っている通りに色を塗りました。絵の下のほうを見ると、**手が顔よりも大きく描かれている**のがわかります。上のほうでは、天井が人物を取り囲むようにゆがんでいますね。

パルミジャニーノ、《凸面鏡に映る自画像》、1523−24年頃

ルネ・マグリット、《不許複製》、1937年

　鏡は真実の姿を映しているように見えて、本当はそうではないことは明らかです。鏡の中の像は裏返しで、平たいですし、像を反射する表面のカーブの具合や色にも影響（えいきょう）を受けてしまいます。鏡が映しだすものは**真実であって、嘘（うそ）でもある**んですね。

　ルネ・マグリットの《不許複製》は、そんな「真実でも嘘でもある」という鏡の本質を、絵に描いたものなんですよ。スーツを着た男性の姿が、鏡に反射しています。でもこんなふうに映るはずがないですよね。

ディエゴ・ベラスケス、《ラス・メニーナス》、1656年頃

マーティン　スペインの芸術家ディエゴ・ベラスケスの《ラス・メニーナス》は、ヨーロッパ芸術のなかで最もすぐれた作品のひとつです。この絵は多くのことを表現していますが、そのひとつが**「鏡と反射」の問題**なんですよ。

ディエゴ・ベラスケス、《ラス・メニーナス》（部分）、1656年頃

この絵の中央には、5歳になるスペインの王女、マルガリータ・テレサが描かれています。王女とともに宮殿に暮らす人々が、王女の周囲をとり囲んでいます（「ラス・メニーナス」は「侍女（メイド）」という意味です）。ベラスケスは、自分の姿も絵の中に描きこんでいます。大きなカンヴァスを前に、パレットと絵筆を持っている男性がそうです。

絵の奥には鏡があって、そこにはスペイン国王フェリペ4世と、王妃の姿が映っています。この2人の姿は、ベラスケスがそのとき制作中だった絵の「鏡像」だと考える人もいます。もしそうなら、《ラス・メニーナス》は「『鏡に映った絵』を描いた絵」ということになりますね。

そもそもベラスケス（彼も宮殿に住んでいました）は、国王の部屋に飾る絵として《ラス・メニーナス》を描きました。国王がこの絵を目にしたとき、パレットと絵筆を握る宮廷画家がこちらを見つめている姿だけでなく、**鏡の中で自分を見つめ返す自分の姿**も見えたでしょうね。

79

[マーティン] 《ラス・メニーナス》は、現実に存在した場所が舞台になっています。マドソッドにあるアルカサル宮殿（現在の王宮）の、王子が生活するスペースの一角にあった、天井の高い部屋です。この絵の「光」の描き方には、思わず目をうばわれます。光に照らされたカンヴァスの縁、王女の輝くような髪、侍女たちの服を飾る刺繍のきらめきが、みごとに表現されています。絵に近づいてみると、それらはベラスケスが絵筆でつけた、**かすかに揺らめく「しるし」**に変わってしまいます。

[デイヴィッド] 「絵」により多くの情報をつけ加えたいとき、「ハイライト」はぴったりの方法だ。ぼくの場合、iPhoneやiPadを使って絵を描きはじめてから、画像そのものが光るものだから、水の入った瓶や、きらきら輝く銀のフルーツ皿など、光ったり、光を反射したりするものに興味を引かれるようになったんだ。

　右のページにある、フルーツ皿の表面を見てほしい。**カーブした鏡のように、周囲のものが映っている**のが見えないかな？　それと、ハイライトだ。光が強く反射しているところには何も映らなくて、**ただまぶしく輝いている**だけなんだ。リンゴにもハイライトがあるけど、リンゴの表面はあまりつやつやとしていないから、**光も鈍くなる**んだよ。

デイヴィッド・ホックニー、《無題、2011年 2 月24日》、2011年

マーティン 影もそうですが、何かに反射してできる像も、自然の中では当たり前に見かけます。大昔から、人々は**静かな水面や流れる水に映る像**に気がついていたようですし、いまだに「絵」のテーマとして人気があります。この「反射像」自体が、世界を平面に写し取った「絵」でもあるんですよ。

　クロード・モネも、反射像の「絵」をたくさん残しました。モネはパリ郊外のジヴェルニーに美しい庭園を持っていて、そこで傑作といわれる《睡蓮》の絵を描いています。絵の表面と、水面、**そこに映る空や木々が、絵の中でひとつに溶け合って見える**んですよ。

デイヴィッド モネはジヴェルニーの庭園を、何年もかけて作りあげたんだ。本当に大変だったと思う。例えば、モネが見たいと思った反射像を作りだすためには、睡蓮の池の水は流れるのではなく、鏡のように**静止していなければならない**。どうやったらそんなことができたんだろう。モネが睡蓮の絵を描きはじめたのは、60歳になろうかという頃だった。そして86歳で亡くなるまで、モネは睡蓮の絵を描き続けたんだよ。

クロード・モネ、《睡蓮》、1905年

デイヴィッド・ホックニー、《水の習作、アリゾナ州フェニックス》、1976年

水を描くことは、とても難しい。でも、そのぶんとても描きがいがあるんだ。海が近くにあると、光は特別なものになる。海に反射するから、**はっきりとした、あざやかなもの**になるんだ。ぼくは1960年代にアメリカの西海岸、カリフォルニア州に引っ越して、プールの絵を描きはじめた。プールっていうのは、池とは違ったふうに光を反射する。プールの絵では、**踊っているような線を使っている**んだけど、本当に水の表面に見えていたものなんだ。**波打ちながら動く鏡のよう**だなって思ったよ。

6
絵と写真

芸術家たちは、
どんな道具を使ったんだろう？

（デイヴィッド）　実用的な写真技術は1839年に発明されたんだけど、それ以前から、芸術家たちは何世紀にもわたって「写真のような絵」を描こうとがんばっていた。絵と写真には共通点が多いんだよ。

（マーティン）　ヨハネス・フェルメールの《小路》という絵を見てみましょう。すばらしい絵ですね。フェルメールはこの絵を1658年頃に描いているのですが、17世紀のオランダの街並みを映した**カラー写真だと言われると、信じてしまいそう**なほどです。石畳の道や崩れかけたレンガ、壁の白い塗装がはげかかっているところまで、驚くほど細かく描かれています。

（デイヴィッド）　フェルメールはデルフトという町で暮らし、活動した画家だ。この絵は、家の窓から見た風景なのかもしれないな。フェルメールがどうやってこんな絵を描いていたのか、その方法はわかっていない。**すべての謎が明らかになることはないだろう**けど、いろんなことが考えられるんだ。カラヴァッジョが、カンヴァスに映像を映していたかもしれないって話をしたよね？　フェルメールも、似たようなことをやっていたんじゃないかな。フェルメールの場合は、本当に細かいところまで映し出せる、質の高いレンズを使ったのかもしれない。

（マーティン）　オランダは当時、レンズ作りの中心地でした。1608年に、初期の望遠鏡がオランダで発明されています。実のところ、フェルメールは、そうした高性能のレンズを作る数少ない職人の近所で暮らしていたんですよ。

（デイヴィッド）　芸術家は、**自分のやり方を秘密にしている**ことが多かった。どうやって「絵」を作っているか、みんなに知られたくなかったんだよ。種を明かせば、自分の評価が下がってしまうと思ったんだろう。でも、たとえどんな道具を使ったとしても、その道具が「しるし」を生み出すわけじゃない。**道具が「絵」を作るわけではない**からね。フェルメールも、ほかの多くの芸術家たちが使ったのと同じような道具を使ったはずだ。ただ、フェルメールは**誰よりも絵を描くのがうまかった**のさ。

ヨハネス・フェルメール、《小路》、1658年頃

ウェンセスラス・ホラー、《サザークのセント・メアリー教会からの眺め、ウェストミンスターを望む》（部分）、1638年頃

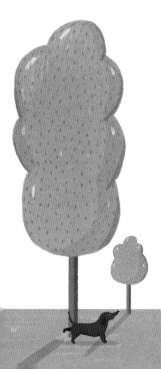

マーティン　17世紀や18世紀になると、**「絵」を作るためのさまざまな道具**が発明され、芸術家たちもこぞって用いるようになりました。「カメラ・オブスクラ」（「暗い部屋」という意味）と呼ばれた道具は、持ち運べる程度の大きさだったので、建物の外でも使われていたようです。カラヴァッジョのように（これはわたしの想像ですが）、仕切りにさえぎられたアトリエにこもって作業しなくても、この時代の芸術家たちは、**野外に出て、本物そっくりの絵が描けるようになった**のですね。この「持ち運びカメラ」――片側にレンズが取りつけられた箱のようなもの――を使えば、紙やカンヴァスの上に映像を投影することができたのです。

　ウェンセスラス・ホラーのデッサンは、「カメラを使ったデッサン」の良い例ですね。ホラーはカメラで風景を投影することで、**建物の輪郭をすばやく、そして正確に写し取る**ことができたのでしょう。一方、**木々の葉はあいまいな曲線で描かれている**のがわかるでしょうか？

デイヴィッド　1807年、ウィリアム・ハイド・ウォラストンという人が、カメラ・オブスクラのライバルとも言うべき装置——ウォラストンは「カメラ・ルシダ」（明るい部屋）と名づけた——を発明した。真ちゅうの棒の先に、ガラスのプリズムを取りつけたもので、正しい角度からガラスをのぞきこむと、物体の映像がデッサン用紙の上に二重映しになって見えるんだよ。

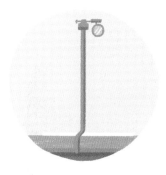

ジャン＝オーギュスト＝ドミニク・アングル、《ルイ＝フランソワ・ゴディノ夫人の肖像》（部分）、1829年

（デイヴィッド）　ロンドンのナショナルギャラリーで、フランスの画家ジャン＝オーギュスト＝ドミニク・アングルの展覧会をやっていたことがあるんだけど、すばらしい肖像画の数々に、目がくぎづけになったよ。小さな絵の中に、それぞれの人物の特徴がびっくりするほど正確に描かれていたんだ。それ以上に驚いたのは、モデルになっている人たちがアングルにとっては赤の他人だったってことさ（知らない人より、よく知っている人の似顔絵を描くほうが簡単だからね）。アングルは、**どのデッサンも1日で仕上げた**んだそうだ。そんなこと、どうやったらできるんだろう？

　それで思ったんだ。アングルは、肖像画（このゴディノ夫人の肖像画もそうだ）を描くときに、ウォラストンが発明したカメラ・ルシダを使ったんじゃないかなってね。洋服の線がその証拠だよ。まるで描き写したみたいに、

デイヴィッド・ホックニー、《マリア・ヴァスケス、ロンドン、1999年12月21日》（部分）、1999年

すばやいタッチで描かれている。

ぼくもカメラ・ルシダを使って肖像画を何百枚も描いてみた。ロンドンのナショナルギャラリーの警備員たちの絵も描いたんだよ。実際にやってみると、カメラ・ルシダを使うのは結構難しいものだとわかった。視線をちょっと動かしただけで、**紙の上の映像は消えてしまう**。とにかくすばやく描かなくてはならないし、描こうとしているものの特徴をすぐにつかんで、**正しい位置に「しるし」をつける技術**が必要なんだ。

投影（とうえい）された映像を使ってデッサンを描くには、**考えて、選択（せんたく）すること**が大事なんだね。どこかに線を引こうとするときだって、そうするだろう？　**どんな「しるし」をつけるか、すべては選択にかかっている**んだよ。

マーティン　19世紀になると、芸術家や科学者たちは、カメラ・オブスクラの中に見えている映像を「**とどめておく**」**方法を探す**ようになりました。そして何人かの人が、同じ時期にその方法を見つけだしたのです。こうして、「写真」が誕生しました。

デイヴィッド　写真が生まれた頃の写真家と芸術家たちには、共通点がたくさんあった。ほとんど同じ道具を使っていたんだから、無理もない。1830年代に、イギリスの発明家ウィリアム・ヘンリー・フォックス・タルボットが、**映像を永久に残しておく方法**を発見した。タルボットは、友人のジョン・ハーシェルから映像を「特別な紙」の上に定着させる薬品の作り方を教えてもらった。この定着させるということが、すごい発見だったんだよ。おかげで、**同じ画像を何度も印刷することができるようになった**わけだ。同じ頃、パリでルイ・ダゲールという画家が、カメラの写真を残す別の方法を発見している。ダゲールは、薬品を使って**金属の感光板の上に映像を定着させた**んだ。

ウィリアム・ヘンリー・フォックス・タルボット、
《タルボット（右）と助手、カメラ・オブスクラ》、1846年

ジュリア・マーガレット・キャメロン、《ジョン・ハーシェル》、1867年

(マーティン)　初期のカメラは、大きくてかさばるものでした。また、モデルになった人は、動かないようじっと我慢（がまん）する必要がありました。ジュリア・マーガレット・キャメロンは、写真を撮（と）るために、モデルに4分近くも我慢させていたといいます。キャメロンは薄暗い場所で写真を撮り、**わざと輪郭（りんかく）をぼやけさせたり、ピンボケにしたりするのが好きだった**ようです。そうした彼女のやり方が、写真に何ともいえないやさしい雰囲気を与えているんですね。

93

アンドレ=アドルフ=ウジェーヌ・ディスデリ、
《リチャール・ド・メッテルニヒ伯爵と
ポーリーヌ・ド・メッテルニヒ伯爵夫人》、1860年

デイヴィッド　初期の写真のなかでも、傑作と言われている
ものの多くは肖像写真なんだよ。150年以上経っても、そ
の**すばらしさがまったく色あせない写真**だってある。その
頃の画家たち——フランスの芸術家エドガー・ドガも、そ
のひとりだ——が、写真に魅力を感じていたっていうのも
うなずけるよ。ドガ自身、写真の腕前はたいしたものだっ
たんだ。

マーティン　ドガは、写真をもとにした絵を描いています
よね。右のポーリーヌ・ド・メッテルニヒ伯爵夫人の肖像
画もそうです。この絵は、おかしなことを言うようですが、
絵というよりは写真に近い感じがします。ドガはピンボケ
写真やモデルが動いてしまった写真によく見られる**「ブレ」
まで描いている**んですよ。

デイヴィッド　写真は、過去の芸術作品の見方にも影響を
与えた。それまでにも、有名な作品の複製は作られていた
んだけど、1850年からは、絵を写真に撮ることができる
ようになった。写真が発明される前は、世界のいろんな場
所で描かれた絵を見たり、記憶したりするのはものすごく
大変だったに違いないよ。

エドガー・ドガ、《ポーリーヌ・ド・メッテルニヒ伯爵 夫人》、1865年頃

でも、**写真がすべてを変えてしまった。**今ではインターネットのおかげで、指を1本動かすだけで、それこそ数えきれないほどの写真が手に入る。**見つけられない「絵」なんてない**と言ってもいいだろうね。

デイヴィッド　写真が登場したばかりの頃、自分で写真を撮ることができたのは、裕福な人たちだけだったんだ。ごく最近までは、カメラを使うにはちょっとした技術が必要だった。フォーカスを合わせたり、ちょうどいい明るさの光を当てたりね。今はデジタルカメラがあるから、いつも完璧な写真が撮れる。**誰もが写真家**ってわけだ。

マーティン　最初のカメラは、結構重たかったんですよ。1860年代にジュリア・マーガレット・キャメロンが使っていたカメラは、2人で持ち運びしないといけないほどでした。1888年に、コダックという会社が、**持ち運びできる箱型のカメラ**を世界ではじめて開発しました。そして、毎日の生活のなかの、さまざまな場面――休暇やパーティーの様子――を写真に撮り、アルバムに保存できるようになりました。過去のできごとを記録する**まったく新しい方法が現れた**というわけです。画家のモーリス・ドニは、ブルターニュの浜辺で2人の女性の手にぶら下がる、娘のマドレーヌの姿を写真におさめています。この頃には、何百万人もの人が、こうした瞬間を写真という形にとどめておけるようになっていたのです。

モーリス・ドニ
《幼いマドレーヌを揺すりながら海に入る2人の娘たち、ペロ＝ギレック》、1909年

96

アンリ・カルティエ＝ブレッソン
《ヨーロッパ広場、サン・ラザール駅裏》、1932年

デイヴィッド　1925年、ライカという**性能がよくて片手で持てるほど軽いカメラ**が開発されたことで、写真はさらに進化した。

マーティン　アンリ・カルティエ＝ブレッソンやロバート・フランクのような、街中で活動するいわゆるストリートフォトグラファーたちも、ライカを愛用していました。ライカを使えば、最低限の技術を身につけた人であれば、どんなものでも、どんな場所でも写真に撮れました。ですが、写真家と呼ばれる人たちは、いつもカメラを構えて、**どんな瞬間も逃さないようにしていた**といいます。「写真を撮ろうと思ったら、すばやくやらないといけない」とロバート・フランクは言ったそうです。**「世界は変わり続けているし、後戻りもしないんだ。だからいつも身構えていなくてはならない」**

ハンナ・ヘッヒ、《最近のワイマール・ビール腹文化時代のドイツを料理包丁で切断》(部分)
1919-20年

マーティン　1930年代、ハンナ・ヘッヒをはじめとする芸術家たちが、写真を切り取ったものや、新聞や雑誌の切りぬきを何枚も貼り合わせた「コラージュ」と呼ばれる作品を作るようになりました。

　さまざまな画像をつなぎ合わせてまったく新しい「絵」を作ることは、写真が登場した頃からある手法です。画家が使う、人物の姿や景色を組み合わせて1枚の絵を描くという手法を、初期の写真家たちはまねしたに違いありません。

（デイヴィッド）　芸術家たちは、いまだに同じ方法を使っている。下に紹介しているぼくの作品は、人物や顔、椅子(いす)はそれぞれ別々に撮影(さつえい)したものなんだ。よく見てもらえば、同じ人が画面のあちこちにいるのがわかるはずだよ。写真はすべて、**コンピューターで編集して組み合わせた**。ひとつひとつのパーツをじっくり観察して、「絵」のどこに配置するかを考えたんだよ。

　ぼくのやったことは、1600年代にカラヴァッジョが試した方法や、1860年代に初期の画家たちが使った、いろんな写真を組み合わせて1枚の「絵」を作るという方法とまったく同じだ。**つまり、古いやり方**だということ。道具が新しくなっただけで、何も変わっていないんだ。

デイヴィッド・ホックニー、《4脚の青いスツール》、2014年

動く「絵」

「絵」って、本当に動くの？

マーティン　わたしたちは何世紀もの間、**人の目をだまして「絵」を「動いている」ように見せる**ために、さまざまな方法を考えだしてきました。その中でも、回転のぞき絵（内側に画像を貼りつけた筒を回転させるというもの）やパラパラマンガは、今の時代でもじゅうぶん楽しめます。動いているように見える理屈はいたって簡単です。人間の目は、1秒間に16個以上の画像を見ると、それが**ひと続きの「動画」に見えてしまう**んです。もちろん、それはただの錯覚です。はっきり言ってしまうと、静止画像が連続しているというだけで、**動画なんてものは存在しない**んですよ。

　1878年、エドワード・マイブリッジという人が、走っている馬を撮影する方法をあみ出しました。競馬場のコースに糸を渡し、そこを通った馬が糸を切ると、横に並べたカメラのシャッターが次々に下りるというしくみを思いついたのです。マイブリッジの撮影した馬や人物は、完全な動画とは呼べないものの、いま振りかえってみると、映画のさきがけと言ってもよいでしょう。

デイヴィッド　マイブリッジは、馬の動きに合わせてたくさんのカメラのシャッターを切る方法を考えだした。でも、マイブリッジの実験は長くは続かなかった。そのあとすぐに、**馬を追いかけることのできるカメラ**が発明されたからね。そうしたカメラが、映画を誕生させることになったんだよ。マイブリッジは、ほんの短い間、脚光を浴びたけれど、映画に主役を取って代わられたって感じだね。

マーティン　その頃フランスでは、エティエンヌ＝ジュール・マレーが動くものを撮影しようとしていました。彼は、**1枚の写真の中にさまざまな動きを映しこむ**ということもやっています。人間や動物の「運動」という、肉眼ではとらえることのできなかった新しい情報が現れて、芸術家たちは大いに興味を引かれたようです。

エドワード・マイブリッジ、《走る馬》、1878年

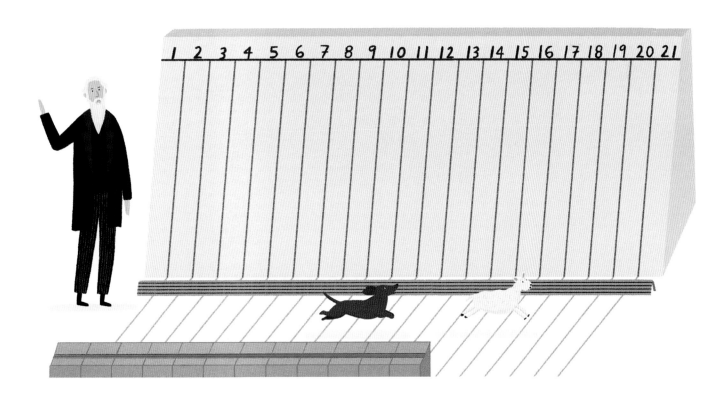

マーティン　1895年12月28日、リュミエール兄弟がパリで公開した映画が、**世界初の映画**だと言われています。そのとき、兄弟が初めて制作した46秒の映像——リヨンにあったリュミエール社の工場から出てくる労働者たちの姿を映したもの——も公開されました。とくに変わったものが映っているわけではありませんでしたが、当時は「絵」が動くというだけで、わくわくすることだったんですね。

　同じくフランスの映画制作者だったジョルジュ・メリエスは、映画を単なる動く「絵」から、見る者の**想像力をかき立てるショー**へと変えました。そのメリエスの傑作映画が、1902年に作られた『月世界旅行』です（実際に人類が月を訪れる、67年前のことです）。初期のフィルムカメラは、役者の動きに合わせて動かすことはできなかったので、**演劇を場面ごとに撮影してつなげて**いたんですよ。この幻想的な「宇宙への旅」は、メリエス自身が建てたスタジオで撮影されたもので、スタジオには手のこんだ衣装や小道具、特殊効果を生み出す装置などもそろっていました。初期の映画ではよく使われていた手法ですが、**ひとコマひとコマ、手で着色**がほどこされています。

ジョルジュ・メリエス、『月世界旅行』、1902年

ウォルト・ディズニー・プロダクションズ、『ジャングル・ブック』、1967年

[デイヴィッド] 絵を描くことは、いつの時代でも動画の大切な一部分なんだ。ゾウの歩き方が知りたければ、ゾウの写真を見るよりも、ディズニーのアニメーション映画『ジャングル・ブック』を見るほうが、ずっとわかりやすいはずだ。ゾウが歩く場面を描いたアニメーターたちは、**ゾウの筋肉や骨の動きをよく観察**して、アニメーションの中ではっきりとわかるように表現しているからね。

デイヴィッド　映画にとって、「動き」はなくてはならないものだ。映画というのは「動き」を見るものだし、そうでなくてもぼくたちは無意識に「動き」を目で追っている。映画に音声がつく前は、「動き」がすべてだった。観客の目をスクリーンにくぎづけにする手段でもあったからね。サイレント映画の時代は、目の動きがとても重要だった。**メイクアップで、俳優の目を強調**することもあった。チャーリー・チャップリン（右ページ）もそうだけど、俳優はあっちこっちに目を動かして――「目がものを言う」ってわけだ――、**大げさな身ぶりで演じて**みせたんだ。音が使えるようになってから、「動き」はどんどん減っていった。台詞がきちんと録音されるよう、俳優たちはマイクのそばにいなければならなかった。そこに注目すると、おかしく見えてくる場面もあるよ。

チャーリー・チャップリン、《街の灯》、1931年

ヴィクター・フレミング、『オズの魔法使』、1939年

マーティン　テクニカラーと呼ばれるカラー映画が、1920年代に登場しました。『オズの魔法使』（1939年）は、カンザスのモノクロの風景から幕を開けます。竜巻が起こり、ドロシーとトトが目覚めたのは、**フルカラーのオズの国**でした。観客はさぞ驚いたことでしょうね。テクニカラー映画では、赤色がとくにあざやかに映ったので、『オズの魔法使』では、**ドロシーの靴をルビーのような赤**（原作ではグレー）にしたのでしょう。

　20世紀になると、動く「絵」を作る技術は大きく進歩し、それぞれの技術が、**物語を語る新しい方法を生み出して**いきました。今では、3次元の映画もありますし、特殊効果にはもう驚くばかりです。

　動画は「動く」という点で、ほかの「絵」と明らかに、そして大きく違っています。でも、**「絵」であることには変わりはない**んですよ。

（デイヴィッド）　美術館で動画を観ることもある。美術館の壁に、**絵と並べて飾られていることだってある**んだよ。でも、そういう動画は必ずしも物語を語っているわけではないし、その前でどれだけの時間を過ごそうと、観る者の自由だ。ぼくの作品にも、イースト・ヨークシャーのウォルドゲイトの森を撮影した、『四季』という動画のシリーズがある。周囲を動画に囲まれながら、春夏秋冬それぞれの森の風景を眺めることができるんだよ。

　静止画と映画の間には、**とても大きな違い**がある。**人は絵に自分の時間をあてはめるけど、映画は映画の時間を人にあてはめようとする。** もし誰かに「うちに来て、世界で最高の映画を観ようよ」と言われたら、きみは「また今度」と返事するかもしれない。映画を観るにはかなりの時間がかかるからね。でも、それが絵だったら、そうはならないよね。

デイヴィッド・ホックニー、《四季、ウォルドゲイトの森（2011年春、2010年夏、2010年秋、2010年冬）、2010－11年

物語は続く

「絵」のこれから

アスツー・ゲームズ、『モニュメント・バレー』、2014年

[デイヴィッド] 「絵」は今までずっとそうだったように、これからも変化し続けるだろう。この先、「絵」がどんなふうに変わるか、誰にもわからない。インターネットだって、そんなものが現れると予言した人はいなかったんだから。SF作家でさえね。

　今の時代、絵を描く道具は**ペンや絵の具だけじゃない**。iPadやスマートフォンで、「絵」を作ることだってできる。写真も、水彩画や油絵と同じようなものになりつつある。撮った写真に手を加えたり、人物を切りぬいたり、その上に絵を描き加えたり、別のものに転写したり、あらゆることができるようになった。ふだんは気がつかないことだけど、**デジタルの世界にも、数えきれないほどの手描きの画像があふれている**んだ。

[マーティン] 「絵」の使い方とか、「絵」に対する考え方は、これからも変わり続けていくでしょう。たとえば、『マインクラフト』や『モニュメント・バレー』（左ページ）のようなコンピューター・ゲームをプレイすれば、「絵」の世界の中を自由に歩きまわり、**いろんな視点から「絵」を見ることもできる**んですよ。

（マーティン） 「絵」を信じてもいいのだろうか？　これは「絵」の歴史のなかで常に繰り返されてきた質問です。カラヴァッジョが実在の人物をモデルにして聖人を描いたと聞いて、落ち着かない気分になる人もいます。写真に「手を加えた」初期の写真家たちは、詐欺師じゃないのかと疑われたりもしたようです。

（デイヴィッド） 空襲から一夜明けた、朝のロンドンの光景をとらえた有名な写真がある。写っているのは、がれきの上を歩くひとりの牛乳配達人の姿だ。1940年に撮られたこの写真は、パニックを起こすことなく「落ち着いて前に進んでいこう」という、市民に対するメッセージを伝えるものだったんだ。でも写真の男性は、実は牛乳配達人でもなんでもなかった。写真家の助手が、配達人の上着をはおっていただけでね。この写真を偽物だと言ってしまえばそうなんだけど、そこには伝えなきゃいけないメッセージがあったんだ。**「前に進もう」というメッセージ**が。これが写真でなく絵だったら、本物の牛乳配達人を描いたのかどうかなんて、気にならないはずだ。

（マーティン） 今の時代、インターネットで政治の場面や有名人の「偽物」の写真を見ることは、めずらしいことではありません。それでもわたしたちは、写真**は真実を伝え、現実をありのままに表現するもの**であってほしいと期待してしまいます。なかには、真実に近い写真もあるでしょうけど、**真実を完全に写し出した写真はない**んです。それは不可能なことですからね。

フレッド・モーリー、《ロンドンの牛乳配達員》、1940年

（デイヴィッド）　報道写真家は、今でも写真を切り貼りしてコラージュを作ったり
すると、仕事を失いかねないんだ。新聞社で働く写真家は、**見たものの真実の
姿を伝えるレポーター**のようなものだと思われているからね。でも、目に見え
るものすべてが信じられるわけじゃない。そうだろう？　絵よりも写真を信じ
るべきだと考えなければいけない理由なんかないはずだよ。

デイヴィッド　21世紀には、スマートフォン──今は、ほとんどの人のポケットに入っているね──が驚くべき進化をとげた。スマートフォンを使えば、「絵」を見るだけではなくて、**「絵」にもっといろんなことができる**ようになったんだ。

マーティン　「絵」の居場所は、洞窟の壁から、寺院や教会、写真アルバム、映画、テレビ、そしてパソコンの画面へと広がりました。「絵」を作る方法も、さまざまなものが考えだされ、棒や指の先で色をつけるところから始まって、現在はコンピューターで絵を描くところまできています。

　今や、ほとんど誰もが画像──動くものも動かないものも──を撮り、一瞬のうちに世界、少なくともTwitterやInstagramなどのフォロワーに発信できるようになりました。スマートフォンに自撮り機能を追加したことは、19世紀にポータブル・カメラが登場したのと同じくらい、写真という存在を大きく変えました。セルフィー（自撮り）を撮るとき、**周囲をある種の写真のように見る**ことになります。ポーズをとっているのが友達や有名人の隣りであっても、美術館のモナ・リザの前であっても同じです。そうして毎日、大量のセルフィーが撮影され、送信されているのです。

デイヴィッド　この世界には写真があふれている。でも、写真を撮れば撮るほど、それぞれの写真を見る時間は短くなってしまう。昔は、写真なんて数えるほどしかなかったけど、今では**毎年何億枚（なんおくまい）もの写真が生み出され続けている**。でもその写真は、いったいどうなるんだろう？　ほとんどが、**忘れさられてしまう**のではないかな。だけど、中にはちゃんと保存しておく人もいるから、そういうものが将来残っていくんだろうね。

マーティン　つまり「絵」の歴史は、生き残った「絵」の歴史にほかなりません。将来何が生き残るのか、それはわかりませんが、ここまでで語ってきたような「絵」の特徴を備えているに違（ちが）いありません。そうした「絵」が、わたしたちの記憶（きおく）に残っていくのでしょう。

デイヴィッド　この世界には、変わらないものだってある。**ずっと残っていく「絵」だってある**はずだ。人はみんな「絵」が好きだ。だから、なくなることはきっとないだろう。

発明の歴史年表

約3万年前

洞窟の壁に絵を掘ったり描いたりするために、石器や自然にある材料から作った顔料が使われていたんだよ。

紀元前480〜470年頃

エトルリアの芸術家たちは、お墓や寺院の壁に「フレスコ画」を残している。これは、壁のしっくいがまだ「乾いていない」うちに絵を描いてしまう方法だ（古代エジプト人は、「ドライ・フレスコ（乾いたフレスコ）」という方法を使っている）。

紀元前200年頃

中国では、書道に絵筆が使われるようになった。ほとんどの絵筆は、竹と動物の毛で作られていた。

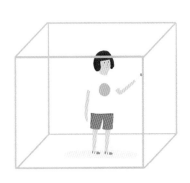

1413年頃

イタリアの芸術家たちが、空間を錯覚させて、平面に奥行きがあるように見せるための方法を考えだした。「遠近法」と呼ばれる方法だね。

1430年頃

レンズや鏡が簡単に手に入るようになり、芸術家たちは自分の作品を違った視点から見ようと、そういった道具を使いはじめた。

1439年

ドイツのグーテンベルクが、活版印刷機を発明した。紙の大量生産が始まって、値段も安くなったから、芸術家たちも紙をどんどん利用するようになったんだ。

紀元前100年頃

中国で紙が発明された。1085年頃になると、ヨーロッパに製紙工場もできていたようだ。紙は最初の頃、とてもめずらしくて高価なものだったんだよ。

200年頃

中国で、印刷技法のひとつである木版が発明された。最初は、絹や織物の上に印刷されていたけれど、あとになると紙も使われるようになったんだ。

1400年頃

ネーデルラントの芸術家たちが、顔料に油を混ぜ、いろんな色を組み合わせたり、色の層を作ったりして、表面がなめらかで、細かい部分まで描きこんだ絵を描くようになった。

1450年頃

さまざまな印刷技術を利用して、芸術家たちは「絵」の複製を作った。ぼくたちが「版画」と呼んでいるものだね。

1500年頃

イタリアのヴェネツィアでは、芸術家たちは板の上ではなく、木の枠に布を張ったカンヴァスに絵を描くようになった。

1600年頃

紙やカンヴァスの上に映像を投影できる、カメラ・オブスクラといった道具がさかんに使われるようになった。

1780年

ロンドンで、世界で初めて水彩絵の具が発売された。それまで、芸術家たちは自分で材料をすりつぶし、混ぜ合わせてオリジナルの顔料を作っていたんだよ。

1839年

実用的な写真技術が発明された。以降、特別な薬品を使うことで、紙の上に映像を定着させ、何度でも複製を作れるようになった。初期のカメラはとても大きくて重たかったんだよ。

1841年

持ち運びに便利な絵の具用の金属チューブが発明された。おかげで、芸術家たちはどんな天候の日でも、野外で油絵の具を使って描くことができるようになった。

1960年以降

多くの芸術家たちが、アクリル絵の具を使うようになった。アクリル絵の具は乾くのが速く、発色があざやかで、伸びのいい絵の具だ。

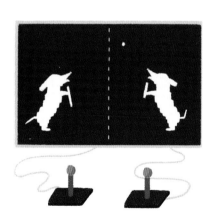

1970年以降

ビデオ・ゲームの登場だ。まさに、「絵で遊ぶ」新しい方法が発明されたってわけだ。

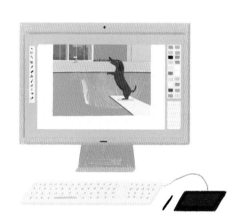

1975年以降

家庭用コンピューターの登場で、画像の使い方が変わった。さらに、写真を編集できるソフトウェアも開発されて、写真を組み合わせたり、変形させたりすることもできるようになった。

1888年以降

小型のポータブル・カメラが出回りはじめた。持ち運びにとても便利なカメラだね。1907年には、カラー写真も発明されている。

1890年以降

映画の上映がはじまった。最初はサイレント映画やモノクロ映画だったけど、あとになると、音声つきの映画やカラー映画が作られるようになった。

1950年以降

世界中の家庭にテレビが普及した。テレビ画面を通して、一度にたくさんの人が同じ「絵」を見ることができるようになった。

1989年以降

インターネットのおかげで、今ではクリックひとつで、何百万枚もの「絵」を見ることができる。

2000年以降

世界中の人が、スマートフォンやタブレット端末を使って写真を撮ったり、インターネットに「絵」を公開したりするようになった。

用語集

アニメーション：静止画像を1枚1枚、すばやく連続して表示することにより、動いているように見せる手法のこと。テレビアニメはもちろん、パラパラマンガや回転のぞき絵などもアニメーションの一種。

印象派：19世紀後半にフランスで起こった芸術運動。芸術家たちは、風景をそのまま描くのではなく、風景から受ける「印象」を表現しようとした。作品には「しるし」や筆あとが目立ち、まるでスケッチのような未完成の作品だと批判されることもあった。

映画スチル：映画中の1場面を写真にしたもので、通常、連続する場面からひとコマが選ばれる。

SF小説：小説の一種で、未来や宇宙が舞台になることが多い。作者によって、現実の世界とはまったく異なるオリジナルの世界が創作されることもある。

絵巻物：長く、幅の細い紙に描かれたデッサンや絵のこと。巻物に描かれた絵は、開いたところから少しずつ見ていくことになる。古代中国の芸術品に多く見られる。

遠近法：距離や奥行きを表現するための絵画の手法。

回転のぞき絵：アニメーションを作るために使われていた初期の道具。筒の内部に、少しずつ変化しながら連続する画像を貼りつけたもので、のぞきこむためのスリット（切れこみ）がついている。筒を回転させると、画像が動いているように見える（102ページを参照）。

カメラ・オブスクラ：被写体に明るい光を当て、暗い部屋やテント、箱の中に設置した平面に投影する技法。映像は上下、左右が逆に映し出されることになる（88－89ページを参照）。

カメラ・ルシダ：映像を平らな面の上に投影できる、小型の器械。先端にプリズムが装着された、金属の棒のようなもの（89－91ページを参照）。

カンヴァス：絵が描けるよう、布を木枠に張ったもの。

感光板：薬品でコーティングされた、表面が平らなガラス片や金属片。初期のカメラは、この感光板を光に当てる（感光させる）ことで映像を定着させていた。

顔料：絵の具の材料となる、色のついた粉。油や水と混ぜて使う。19世紀にチューブ入り絵の具が登場するまで、芸術家たちは自分で顔料を混ぜて絵の具を作っていた。

キュビズム：20世紀の初めにパリで起こった芸術運動。パブロ・ピカソとジョルジュ・ブラックは、遠近法にこだわることなく、ひとつの画面にさまざまな視点を盛りこんだ絵を描いている。

空間：「絵」において、人物や物体、建物を囲う範囲のこと。

建築：建物を設計し、建設すること。

戸外制作：アトリエなどの室内ではなく、野外に出て、自然の中で絵を描くこと。

小道具：映画のセットで使われる、道具や衣装、家具のこと。プロップ。

コマ（映画）：「映画スチル」も参照のこと。映画を構成している映像のひとつひとつを指す言葉。

コラージュ：写真や新聞、繊維など、さまざまな画像や素材を画面の上で組み合わせて作った芸術作品。

彩色画：絵の具で色がつけられた絵のこと。壁やカンヴァス、木板などの平面上に、筆で描かれることが多い。

祭壇画：教会の祭壇の後ろに飾られる、宗教画のこと。いくつかのパーツから成り立っている場合が多い。

サイレント映画：音が録音されていない映画。1927年に最初のトーキー（発声）映画『ジャズ・シンガー』が公開されるまでは、映画はすべてサイレントだった。

錯覚：実際は存在していないものが、そこにあるように見えること。

3次元：縦、横、高さがある物体のこと。

自画像：芸術家が、自分の外見をもとにして描いた絵。

シルエット：人物や物体が光に照らされたときにできる、輪郭に囲まれた黒い影の部分のこと。

シャッター：開閉することでカメラ内部に光を入れ、写真を撮影できるようにする部品。

肖像：人物の顔や姿を表現した「絵」のこと。肖像は、絵画だけでなく、写真や彫刻の場合もある。

スマートフォン：写真撮影やインターネット

へのアクセスができる携帯電話。

静物画：花瓶や果物の入った容器など静止した物体を描いた絵。

像：絵やデッサン、彫刻などのモデルとなる人物や動物の姿や形のこと。

彫刻：石、粘土、石こうなどで作られる、３次元の芸術作品。

チャコールペンシル：木炭を材料とする、デッサン用の筆。暗い色合いと荒いタッチが特徴で、太く濃い線を描くことができる。

洞窟壁画：大昔の人類によって、洞窟の壁に描かれた絵のこと。土や血を動物の脂肪や水で混ぜたものを絵の具として用いた。

箱型カメラ：初期のカメラで、箱形の本体にレンズとフィルムが取りつけられたもの（96ページを参照）。

羽根ペン：鳥の羽でできた、筆記用の道具。空洞になっている軸の先を削ってとがらせ、インクにひたして使う。

パラパラマンガ：ページ１枚１枚に、少しずつずらした絵が描かれた本のこと。本を「パラパラ」とすばやくめくると、絵があたかも動いているように見えることからこう呼ばれている。

パレット：芸術家が絵の具を混ぜるのに使う、楕円形の平らな板（ほとんどが木製）。持ちやすいように、通常、片側に穴が開いている。

版画：何度も複製することができる「絵」のこと。版画を作る方法にはさまざまなものがあるが、通常は描きたいものを平らな木の板や金属板に彫りこみ、そこにインクを塗り、紙を押しつけて絵を転写するという手法が使われる。広い意味では写真も版画の一種といえる。

反射像：水や鏡など、光沢のある表面に映る映像のこと。

ピンボケ：写真の中で、輪郭がはっきりしない部分のこと。

フィルム：表面をコーティングした細長いプラスチックを筒状に巻き取ったもので、カメラに装着する。撮影が終わったフィルムは、カメラから取り出され、現像に回される。

風景画：野外の景色を描いた絵、あるいは景色を映した写真のこと。

プリズム：光を反射させるために使う、透明なガラス片。

木版画：木の板に彫りこみを入れて印刷された版画のこと。日本美術に多く見られる。

モデル：芸術家や写真家のために、アトリエや撮影スタジオなどでポーズをとる人物のこと。

レンズ（カメラ）：カメラの部品で、映像を平面（感光板やフィルム）の上に投影するために使われる、湾曲したガラス片のこと。

図版一覧

寸法はセンチメートル、インチの順に記載。

10ページ：雄牛、ラスコー洞窟、フランス、akgイメージズ／グラスハウス・イメージズ

11ページ：パブロ・ピカソ、《フクロウ》、1952年、カンヴァスに油彩、28.5×24（11 1/4×9 1/2）、個人蔵／ジェイムズ・グッドマン・ギャラリー、ニューヨーク、アメリカ／ブリッジマン・イメージズ、© Succession Picasso/DACS, London 2017

12−13ページ：ベイト・エル・ワリ神殿の壁画の石こう模型、アスワン、ジョセフ・ボノミによる複製、© Peter Horree/Alamy Stock Photo

14ページ：ヤン・ファン・エイク、《アルノルフィーニ夫妻の肖像》（部分）、1434年、オーク板に油彩、82.2×60（32 3/8×23 5/8）、ナショナルギャラリー、ロンドン

16−17ページ：デイヴィッド・ホックニー、《クラーク夫妻とパーシー》、1970−71年、カンヴァスにアクリル絵の具、213.3×304.8（84×120）、テート、ロンドン、© David Hockney

18ページ：歌川広重、《隷書東海道五十三次 四十二 宮・七里の渡し 熱田の居寝覚の里》、1847−52年頃、木版画、23.5×36.3（9 1/4×14 1/4）

19ページ：フィンセント・ファン・ゴッホ、《タンギー爺さん》、1887年、カンヴァスに油彩、92×75（36 1/4×29 1/2）、ロダン美術館、パリ

21ページ左：レオナルド・ダ・ヴィンチ、《モナ・リザ》、1503−19年頃、ポプラ板に油彩、77×53（30 3/8×20 7/8）、ルーヴル美術館、パリ

21ページ右：マレーネ・ディートリッヒ、1937年頃、ベットマン／ゲッティ・イメージズ

23ページ上：『ピノキオ』のスチル写真、1940年、ウォルト・ディズニー・プロダクションズ、© 1940 Walt Disney

23ページ下：歌川広重、「六十余州名所図会」より《阿波 鳴門の風波》（部分）、1853年頃、木版画、35.6×24.4（14×9 5/8）、メトロポリタン美術館、ニューヨーク

28ページ：洞窟のライオン、レ・コンバレル洞窟、レ＝ゼジー、フランス、写真：ネアンデルタール博物館、ヴェンデル・コレクション、メットマン

30ページ：呉鎮「竹譜図巻」より《竹の葉》、1350年、墨絵、40.6×53.3（16×21）、国立故宮博物院、台北

31ページ：牧谿、《六柿図》、13世紀、墨絵、31.1×29（12 1/4×11 3/8）、大徳寺、京都

33ページ：レンブラント・ファン・レイン、《あんよを教えてもらう幼児》、1656年頃、茶色がかったクリーム色の紙に茶色のインクでペン描き、9.3×15.4（3 5/8×6 1/8）、大英博物館理事会

35ページ：ミケランジェロ、《走る男の習作》、1527−60年頃、紙にチョークと鉛筆、40.4×25.8（15 7/8×10 1/8）、タイラース美術館、ハールレム、オランダ

36ページ：ウィリアム・アドルフ・ブーグロー、《ミニョン》（部分）、1869年、カンヴァスに油彩、100.4×81.3×（39 4/8×32）、個人蔵

37ページ：エドゥアール・マネ、《すみれの花束をつけたベルト・モリゾ》、1872年、カンヴァスに油彩、55×40（21 5/8×15 6/8）、オルセー美術館、パリ

39ページ：クロード・モネ、《氷の融解》、1880年、カンヴァスに油彩、68×90（26 3/4×35 3/8）、グルベンキアン美術館、リスボン

40ページ：ラウル・デュフィ、《ブーローニュの森の大通り》、1928年、カンヴァスに油彩、81.2×100（32×39 3/8）、個人蔵、ブリッジマン・イメージズ、© ADAGP, Paris and DACS, London 2017

41ページ：デイヴィッド・ホックニー、「2013年の春の到来」より《ウォルドゲイト、5月26日》、2013年、紙にチャコールペンシル、57.4×76.8（22 5/8×30 1/4）、ザ・デイヴィッド・ホックニー・ファウンデーション、写真：リチャード・シュミット、© David Hockney

44ページ：手のシルエット、クエバ・デ・ラス・マノス（手の洞窟）、サンタ・クルス、アルゼンチン、紀元前7000−1000年、クリスチャン・ハンドル／ゲッティ・イメージズ

45ページ：トマス・ハロウェイ、《シルエットを確実に描ける便利な器械》、1792年、ラインエングレービング、27.3×21.1（10 3/4×8 1/4）

47ページ：デイヴィッド・ホックニー、《ゴンザレスと影》、1971年、カンヴァスにアクリル絵の具、121.9×91.4（48×36）、シカゴ美術館、© David Hockney

49ページ：ティム・ノーブル、スー・ウェブスター、《HE／SHE》（部分）、2004年、金属のスクラップを溶接、プロジェクター2台、SHE：100×186×144（39 2/5×73 1/4×56 2/3）、アンディー・ケエート、© Tim Noble and Sue Webster. All Rights Reserved, DACS 2017

50ページ:《果物かごとワイン瓶のある静物》、ジュリア・フェリーチェの家、ポンペイ、70年頃、フレスコ、国立考古学博物館、ナポリ

51ページ:クララ・ペーテルス、《果物と死んだ鳥、サルの静物画》、年月日不詳、板に油彩、47.6×65.5(18 3/4×25 3/4)、個人蔵

53ページ:カラヴァッジョ、《キリストの捕縛》、1602年頃、カンヴァスに油彩、133.5×169.5(52 1/2×66 3/4)、アイルランド国立美術館、ダブリン、エイジ・フォトストック／アラミー・ストック・フォト

54ページ:カラヴァッジョ、《エマオの晩餐》、1601年、カンヴァスに油彩、141×196.2(55 1/2×77 1/4)、ナショナルギャラリー、ロンドン

55ページ上:カラヴァッジョ、《聖トマスの懐疑》、1601-02年、カンヴァスに油彩、107×146(42 1/8×57 1/2)、サンスーシ宮殿、ポツダム

55ページ下の左:カラヴァッジョ、《キリストの捕縛》(部分)、1602年頃、カンヴァスに油彩、133.5×169.5(52 1/2×66 3/4)、アイルランド国立美術館、ダブリン、エイジ・フォトストック／アラミー・ストック・フォト

55ページ下の中:カラヴァッジョ、《エマオの晩餐》、1601年、カンヴァスに油彩、141×196.2(55 1/2×77 1/4)、ナショナルギャラリー、ロンドン

55ページ下の右:カラヴァッジョ、《聖トマスの懐疑》(部分)、1601-02年、カンヴァスに油彩、107×146(42 1/8×57 1/2)、サンスーシ宮殿、ポツダム、写真:ゲアハート・ムルザ、スカラ、2016年、フィレンツェ／bpk、ベルリン

58ページ:デイヴィッド・ホックニー、《二度目の結婚》、1963年、カンヴァスに油彩、グアッシュ、コラージュ、197.4×228.6(77 3/4×90)、ビクトリア国立美術館、メルボルン、写真:ビクトリア国立美術館、メルボルン、© David Hockney

59ページ:アンドレイ・ルブリョフ、《三位一体》、1425-27年、板にテンペラ、141.5×114(55 3/4×44 7/8)、トレチャコフ美術館、モスクワ

60-61ページ:パオロ・ウッチェロ、《森の狩り》(部分)、1470年頃、板にテンペラと油彩、金、73.3×177(29×69 5/8)、アシュモレアン博物館、オックスフォード大学

62-63ページ:ヤン・ファン・エイク、《ファン・デル・パーレの聖母子》、1436年、板に油彩、122×157(48×61)、グルーニング美術館、ブルッヘ、akgイメージズ／エリック・レッシング

64-65ページ:デイヴィッド・ホックニー、《ペアブロッサム・ハイウェイ、1986年4月11-18日、No.2》、1986年、写真のコラージュ、181.6×271.8(71 1/2×107)、J・ポール・ゲティ美術館、ロサンゼルス、© David Hockney

66ページ:王翬《康熙帝南巡図巻》七巻、無錫市から蘇州市へ、1689年(部分図)、1698年、絹に墨と彩色、67.7×2220(26 5/8×874)、マクタガート・アート・コレクション、エドモントン、写真:マクタガート・アート・コレクション、アルバータ大学美術館、エドモントン、カナダ

67ページ:黄公望、《富春山居図》(複製)、1347年、紙に墨、33×636.9(13×250 3/4)、オリジナル:国立故宮博物院、台北、写真:プルーデンス・カミング・アソシエイツ、ロンドン

68ページ:レオナルド・ダ・ヴィンチ、《最後の晩餐》、1494-99年、ゲッソ、樹脂、防水漆喰にテンペラ、460×880(181 1/8×346 1/2)、サンタ・マリア・デッレ・グラツィエ教会、ミラノ

69ページ:エドワード・ホッパー、《ナイトホークス》、1942年、カンヴァスに油彩、84×152(33 1/8×59 7/8)、シカゴ美術館

70ページ:フアン・グリス、《ヴァイオリン》、1916年、板に油彩、105×73.6(45 1/2×29)、バーゼル市立美術館、バーゼル

74ページ:エリトリアの画家、《鏡を手に座る女》、紀元前430年頃、アテナイの赤像式陶器、アンフォリコス、アシュモレアン博物館、オックスフォード大学、アシュモレアン博物館／メアリー・エヴァンス

75ページ:《アレクサンドロス大王とペルシア王ダレイオスのイッソスの戦い》(部分図)、ファウヌスの家のモザイク画、ポンペイ、紀元前315年頃、テッセラ、国立考古学博物館、ナポリ、アンドリュー・バージェリー／アラミー・ストック・フォト

76ページ:パルミジャニーノ、《凸面鏡に映る自画像》、1523-24年頃、ポプラ板に油彩、直径24.4(9 5/8)、美術史美術館、ウィーン、写真:ファインアート／アラミー・ストック・フォト

77ページ:ルネ・マグリット、《不許複製》、1937年、カンヴァスに油彩、81×65(31 7/8×25 5/8)、ボイマンス・ヴァン・ベーニンゲン美術館、ロッテルダム、© ADAGP, Paris and DACS, London 2017

78、79ページ:ディエゴ・ベラスケス、《ラス・メニーナス》、1656年頃、カンヴァスに油彩、318×276(125 1/4×108 5/8)、プラド美術館、マドリード

81ページ：デイヴィッド・ホックニー、《無題、2011年2月24日》、2011年、iPadでデッサン、© David Hockney

82ページ：クロード・モネ、《睡蓮》、1905年、カンヴァスに油彩、73×108（28 3/4 ×42 1/8）、個人蔵

83ページ：デイヴィッド・ホックニー、《水の習作、アリゾナ州フェニックス》、1976年、紙に色クレヨン、45.7×49.8（18×19 5/8）、個人蔵、© David Hockney

87ページ：ヨハネス・フェルメール、《小路》（デルフト市街の風景画）、1658年頃、カンヴァスに油彩、54.3×44（21 3/8 ×17 3/8）、アムステルダム国立美術館、アムステルダム

88-89ページ：ウェンセスラス・ホラー、《サザークのセント・メアリー教会からの眺め、ウェストミンスターを望む》（部分）、1638年頃、やや粗目のクリーム色の漉き紙にペンと黒インク、13×30.8（5 1/8 ×12 1/8）、イェール大学ブリティッシュ・アート・センター、ポール・メロン・コレクション

90ページ：ジャン＝オーギュスト＝ドミニク・アングル、《ルイ＝フランソワ・ゴディノ夫人（旧姓ヴィクトワール＝ポーリーン・ティオリエール・デ・ラ・イズラ）の肖像》、1829年、石墨、21.9×16.5（8 1/2 ×6 1/2）、アンドレ・ブロンベルクのコレクション、パリ、写真：サザビーズ、パリ

91ページ：デイヴィッド・ホックニー、《マリア・ヴァスケス、ロンドン、1999年12月21日》（部分）、1999年、灰色の紙に鉛筆、クレヨン、グワッシュ絵の具、カメラ・ルシダを使用、56.2×38.1（22 1/8 ×15）、© David Hockney、写真：リチャード・シュミット

92ページ：ウィリアム・ヘンリー・フォックス・タルボット、タルボット（右）と助手、タルボットが発明した写真技法（カロタイプ）の制作現場、レディング市ベイカー通り、バークシャー、1846年、写真：ピクトリアル・プレス／アラミー・ストック・フォト

93ページ：ジュリア・マーガレット・キャメロン、《ジョン・ハーシェル》、1867年、ガラス・ネガティブからアルビューメン・シルヴァー・プリント、35.9×27.9（14 1/8 ×11）

94ページ：アンドレ＝アドルフ＝ウジェーヌ・ディスデリ、《リチャール・ド・メッテルニヒ伯爵とポーリーヌ・ド・メッテルニヒ伯爵夫人》、1860年、名刺判、コンピエーニュ城、フランス、写真：RMNグラン・パレ（ドメーヌ・ド・コンピエーニュ）／ジェラール・ブロ

95ページ：エドガー・ドガ、《ポーリーヌ・ド・メッテルニヒ伯爵夫人》、1865年頃、カンヴァスに油彩、41×29（16 1/8 ×11 3/8）、ナショナルギャラリー、ロンドン

96ページ：モーリス・ドニ、《幼いマドレーヌを揺すりながら海に入る2人の娘たち、ペロ＝ギレック》、1909年、ゼラチン・シルヴァー・プリント、モーリス・ドニ美術館、サン＝ジェルマン＝アン＝レー、写真：オルセー美術館、配給：RMNグラン・パレ／パトリス・シュミット

97ページ：アンリ・カルティエ＝ブレッソン、《ヨーロッパ広場、サン・ラザール駅裏》、1932 年、© Henri Cartier-Bresson/ Magnum Photos

98ページ：ハンナ・ヘッヒ、《最近のワイマール・ビール腹文化時代のドイツを料理包丁で切断》（部分）、1919-20年、フォトモンタージュとコラージュ、水彩絵の具、114×90（44 7/8 ×35 3/8）、ベルリン美術館、ナショナルギャラリー、© DACS 2017

99ページ：デイヴィッド・ホックニー、《4脚の青いスツール》、2014年、フォトグラフィック・ドローイングを紙にプリント、アルミ複合版にマウント、第25版、108×176.5（42 1/2 ×69 1/2）、写真：リチャード・シュミット、© David Hockney

103ページ：エドワード・マイブリッジ、《走る馬》、1878年

104ページ：ジョルジュ・メリエス、『月世界旅行』のスチル写真、1902年

105ページ：ウォルト・ディズニー・プロダクションズ、『ジャングル・ブック』のスチル写真、1967年、© 1967 Walt Disney

107ページ：チャーリー・チャップリン、『街の灯』のスチル写真、1931年、ユナイテッド・アーティスツ／コバル／REX／シャッターストック

108ページ：ヴィクター・フレミング、『オズの魔法使』のスチル写真、1939年、メトロ・ゴールドウィン・メイヤー（現在はワーナー・ブラザーズ）、© AF archive/Alamy Stock Photo

109ページ：デイヴィッド・ホックニー、《四季、ウォルドゲイトの森（2011年春、2010年夏、2010年秋、2010年冬）》、2010-11年、36本のデジタル映像をシンクロさせて、36枚のモニターに表示、ビクトリア国立美術館、メルボルン、© David Hockney

112ページ：アスツー・ゲームズ、『モニュメント・バレー』、2014年、© ustwo Games 2014

115ページ：フレッド・モーリー、《ロンドンの牛乳配達員》、1940年、フレッド・モーリー／ゲッティ・イメージズ

索引

A HISTORY OF PICTURES FOR CHILDREN

First published in the United Kingdom in 2018 by
Thames & Hudson Ltd, 181A High Holborn, London WC1V 7QX

A History of Pictures for Children © 2018 Thames & Hudson Ltd

Texts by Martin Gayford © 2018 Martin Gayford
Texts by David Hockney © 2018 David Hockney
Works by David Hockney © 2018 David Hockney
Illustrations by Rose Blake © 2018 Rose Blake

Abridged and adapted by Mary Richards
from A History of Pictures by David Hockney
and Martin Gayford
Book design by Sarah Praill

翻訳　　　　　　井上舞
翻訳協力　　　　株式会社トランネット
日本語版デザイン　北尾崇（HON DESIGN）

はじめての絵画の歴史
ー「見る」「描く」「撮る」のひみつー

発行日　　　　2018年 8 月27日　初版発行
　　　　　　　2022年 4 月10日　第 3 刷発行

著者　　　　　デイヴィッド・ホックニー
　　　　　　　マーティン・ゲイフォード
イラスト　　　ローズ・ブレイク
発行者　　　　安田洋子
発行所　　　　株式会社 青幻舎インターナショナル
発売元　　　　株式会社 青幻舎
　　　　　　　京都市中京区梅忠町 9 - 1 〒604-8136
　　　　　　　TEL. 075-252-6766 FAX. 075-252-6770
　　　　　　　https://www.seigensha.com/

Printed and bound in China by Shanghai Offset Printing Products Ltd.
ISBN 978-4-86152-684-8　C0070